Soixante jours en enfer

Soixante jours en enfer

Illustrations de l'auteur

Jean-Louis Durant

Couverture: — Conception graphique: Martin Dufour
— Photographie: Quatre par Cinq Inc.

Dépôts légaux: 3e trimestre 1983
Bibliothèque nationale du Québec
Bibliothèque nationale du Canada

ISBN: 0-7773-5679-1

Imprimé au Canada

Si vous désirez recevoir la liste de nos plus récentes publications,
veuillez écrire à:
LES ÉDITIONS HÉRITAGE INC.
300, Arran, Saint-Lambert, Qué. J4R 1K5
(514) 672-6710

NOTE DE L'ÉDITEUR

Même si des circonstances de lieux et de dates ont été modifiées pour empêcher l'identification de certains personnages, ce récit est rigoureusement véridique. De même, l'auteur a-t-il préféré signer son témoignage d'un pseudonyme pour éviter de mettre dans l'embarras des amis et des membres de sa famille.

Première partie

Du dodo à la prison

CHAPITRE 1

Beer-Sheva, Israël, 22 juin 1978. Le nez enfoui dans mon oreiller, je dors comme un vrai petit ange.

— Jean-Louis, Jean-Louis!

Il me faut quelques bonnes secondes pour comprendre que ces appels répétés n'appartiennent pas aux derniers lambeaux de mon rêve - qui n'était d'ailleurs pas des plus désagréables - mais à la réalité. Péniblement, j'ouvre un oeil, puis l'autre.

— Jean-Louis, Jean-Louis, réveille-toi!

Avec ce vif esprit de répartie dont j'ai été doté à ma naissance, je suis tenté de répliquer à mon amie que c'est chose faite, mais l'inquiétude inhabituelle que je lis dans sa voix, sur son visage penché sur moi, me retient. Inutile de finasser. Le réveil a l'air plutôt dur et une petite voix me dit que ce n'est rien en comparaison de ce qui m'attend.

— Quoi? Qu'est-ce qu'il y a?

Je me redresse sur un coude. Les brumes de la nuit ont achevé de se dissiper. Lise est là, toute proche, bien réelle, assise sur le bord du lit, un peu tremblante aussi.

— Je ne sais pas... On frappe à la porte d'entrée...

Tandis qu'elle se dirige vers la porte, je jette un coup d'oeil incrédule au réveil-matin: 7 h 45! La pleine nuit pour moi qui suis habitué à paresser dans les bras de Morphée jusqu'à des heures plus convenables! Je commence à m'habiller sans hâte. Des bruits de conversation me proviennent de la pièce voisine. Quand je débouche dans le salon, je trouve Lise en compagnie de deux inconnus. Ils ont beau être en civil, l'air effrayé de mon amie m'en dit long sur l'identité de mes visiteurs matinaux.

— Jean-Louis, c'est... c'est la police...

Le plus jeune des deux hommes - trente ans environ, le regard noir et pénétrant, un de ces regards de «professionnel» qui est censé vous transpercer en une seconde jusqu'au plus profond de vos entrailles - s'avance vers moi.

Il se met à aboyer.

— Vous êtes Monsieur Durant?

— Oui...

Je serais malvenu de dire le contraire. Mais mon attention est attirée ailleurs: l'autre individu, un peu plus grand que son compagnon, entreprend une fouille systématique de l'appartement, bien consciencieusement, sans s'occuper de personne. Je ne me sens pas rassuré. Les craintes que j'avais ressenties dès mon arrivée sur la bonne terre d'Israël commencent à se préciser dangereusement. Je m'efforce tout de même de prendre un ton dégagé.

— De quoi s'agit-il?

Le jeune policier affûte son regarde numéro quatre bis et se met à débiter très vite: «Nous sommes de la police de Beer-Sheva, nous aimerions vous poser quelques questions. Pouvez-vous nous suivre au poste? Ça ne sera pas très long. Vous serez de retour chez vous dans l'après-midi.»

Il reprend enfin son souffle, assez content, semble-t-il, de son petit discours. Discours qui ne trompe personne: un enfant de cinq ans verrait tout de suite que tout cela n'est qu'un tissu de mensonges. Bref, j'ai la nette impression que cet interrogatoire de routine risque d'être le prélude à un tas d'emmerdements.

Nous sursautons tous en choeur. L'autre sbire débouche de la cuisine, brandissant à bout de bras une liasse de billets de banque israéliens. Il se plante devant moi, hurle en me fixant dans le blanc des yeux: «Qu'est-ce que c'est que ça?

— De l'argent.»

À question bête, réponse stupide. L'homme continue de triturer les billets. À croire qu'il n'en a jamais vu autant. Puis il se met à discourir en hébreu avec son collègue. La conversation, ponctuée de gestes éloquents, a l'air animé. Pas de doutes là-dessus: la chose leur paraît suspecte. Brandissant toujours les billets comme un étendard, le plus grand des deux s'approche de moi et vocifère: «Cet argent vous a été remis pour acheter des armes contre l'État d'Israël! Vous êtes un terroriste!»

Je chancelle, non pas seulement sous le coup de cette accusation absurde, mais aussi sous la forte odeur d'ail dont est chargée l'haleine de mon interlocuteur et qui me donne presque la nausée. Les deux policiers continuent de me fixer d'un même air triomphant. Il n'y a pas à dire, je suis dans un sale pétrin.

Comment diable leur expliquer que cet argent - environ deux mille dollars canadiens - provient en fait d'un fonds de pension résultant de cinq ans de bons et loyaux services au Canadien National, à Montréal? La tentative semble vouée à l'échec, du moins pour l'instant.

L'homme au regard noir et pénétrant a retiré les billets des mains de son collègue; il les remet à mon amie.

— Tenez, bougonne-t-il, vous en aurez besoin.

Encouragé par ce premier geste d'humanité, j'ose l'interroger.

— Est-ce que je peux savoir de quoi je suis accusé?

Nouveau regard transperçant, appuyé d'un long silence solennel.

— J'ai seulement reçu l'ordre de vous arrêter et de vous amener au poste de police de Beer-Sheva. Apportez vos papiers et vos effets personnels.

Rien de plus à attendre d'eux pour le moment. Inutile de discuter non plus. Luttant contre son affolement, Lise a préparé un jus d'orange et une petite collation. On me fait comprendre que je n'ai droit qu'au breuvage. Pourquoi?... Mon bel optimisme commence à s'estomper, surtout quand je serre mon amie contre moi une dernière fois. Tout à coup, je pense que je laisse derrière moi une jeune femme de dix-huit ans, enceinte de trois mois, seule dans un pays qui va peut-être lui devenir hostile. J'essaye tout de même de faire le brave, de la rassurer.

— Ne t'en fais pas, ma chérie, je n'ai rien fait de grave. Il doit s'agir d'une erreur, au pire d'une vérification... Prépare-nous un bon dîner, je te jure qu'à mon retour j'y ferai honneur.

Elle aussi s'efforce de sourire. Je l'embrasse tendrement; je serre le plus longtemps possible ses mains dans les miennes.

— Ça suffit, Monsieur Durant, assez perdu de temps, suivez-nous.

Je n'ai pas le loisir de me retourner une dernière fois. Mes deux sbires me poussent sans ménagement dans l'escalier. À la sortie de l'immeuble, le plus jeune prend un air mystérieux.

— Dehors, me souffle-t-il à voix basse, il y a une petite voiture jaune. Elle est stationnée sur la droite, à cinquante mètres. Dès que vous l'apercevrez, marchez droit vers elle. Toute tentative d'évasion vous coûterait très cher.

Pourquoi toutes ces simagrées? On se croirait dans un film d'espionnage américain des années 1950. Je ne fais toutefois aucune difficulté et je me rends sagement jusqu'au véhicule en question. Le grand qui pue l'ail à plein nez s'asseoit à mes côtés, à l'arrière. Aussitôt, il se tourne vers moi, exhibe d'un air très fier un revolver automatique au canon luisant.

— Vous voyez, vous n'aviez aucune chance, énonce-t-il avec un sourire satisfait.

J'ai du mal à avaler ma salive. S'ils sont prêts à sanctionner par une arme à feu la moindre tentative de fuite, il ne faut pas sortir de l'université pour conclure que je suis considéré comme un individu dangereux, ce qui n'est pas fait pour m'encourager.

La voiture démarre. Je me tords le cou pour jeter un dernier regard vers ma demeure dans le vague espoir d'apercevoir mon amie. Ce n'est pas elle que j'entrevois, mais une foule de voisins qui, semble-t-il, ont très vite saisi la situation. En guise d'au revoir, ils me gratifient de coups d'oeil soupçonneux, voire hostiles. Nul doute que j'incarne subitement pour eux un redoutable criminel. Vite oubliés le gentil voisin et sa jeune femme, les *Canadis* comme ils nous appelaient... Ah, frivolité humaine!

Au dehors, des images de liberté défilent: ciel bleu, palmiers dattiers, maisons blanches brûlées par le soleil, bédouins nonchalants à l'allure majestueuse et toute une foule «d'honnêtes gens» qui s'affairent à leur routine quotidienne tandis que moi, prisonnier de cette maudite petite auto jaune, je me triture les méninges pour essayer de comprendre ce qui m'arrive, essayer de me persuader aussi que tout, oui bien sûr, tout peut encore s'arranger.

Un crissement de pneus suivi d'un arrêt brutal. La portière s'ouvre. Une main s'abat sur mon avant-bras gauche.

— Sortez et tendez vos poignets.

Les menottes se referment dans un sinistre cliquetis. On m'ordonne d'avancer en me gratifiant de vigoureuses poussées dans le dos. Je lève les yeux et je reconnais l'immeuble qui abrite les services de police de Beer-Sheva. Lise et moi avions souvent remarqué, lors de nos ballades en ville, ce bâtiment dont la sévérité est atténuée par un parc semi-tropical non dépourvu de charme. Les apparences, dit-on, sont souvent trompeuses, et de fait, ce matin, j'aurais bien du mal à trouver ici la moindre petite parcelle de charme.

Les cinq marches qui mènent au portique d'entrée sont franchies à toute vitesse. À toute vitesse aussi, je suis confié à deux autres policiers, en uniforme cette fois, et c'est au pas de course que j'enfile les corridors pour me retrouver finalement assis dans une pièce quasi nue. La clé tourne dans la serrure et je reste seul, complètement hébété.

Devant moi, une table de bois; entre elle et le mur, une chaise; dans un des coins, une armoire métallique avec de nombreux tiroirs qui doivent sans doute contenir des piles de dossiers accablants pour les malheureux qui croupissent déjà en prison. J'ai beau me répéter que ce n'est pas encore mon cas et que ce ne le sera jamais, les épais barreaux d'acier qui quadrillent l'unique fenêtre ont l'air de me susurrer sournoisement le contraire.

J'en suis là dans mes réflexions lorsque la porte s'ouvre. Un policier en uniforme s'avance, serrant sous son bras ce que je reconnais comme mes effets personnels.

Le nouveau venu semble encore moins aimable que mes deux visiteurs du matin. Le regard haineux, d'un geste hautement dégoûté, il jette mes affaires sur la table.

— Tiens, sale terroriste!

Je décide moi aussi de le traiter avec mépris et je ne relève pas l'insulte. L'autre s'est assis sur la chaise, martelle la table avec ses poings en ne me quittant pas des yeux.

— On te tient maintenant! hurle-t-il. Tu entends: on te tient!

Il continue son martellement, de plus en plus fébrile; on dirait qu'il n'arrive plus à contenir la haine puissante que ma vue lui inspire. De nouveau il vocifère, frémissant, en proie à une véritable crise de nerfs.

— Tu vas tout nous dire, hein? Tout!

De nature peu contrariante, je me ferais bien un plaisir de calmer ce forcené par quelques révélations, mais lesquelles?

Mon silence a le don d'alimenter sa fureur. Brusquement, il stoppe son entraînement de boxeur, plonge une main dans ma serviette, en répand le contenu devant lui, examine objet après objet avec une moue de dégoût. Ses yeux s'agrandissent. Il paraît vivement intéressé par mon ordinateur miniature d'aviation, un objet tout à fait inoffensif distribué à un prix modique par l'aéro-club de Montréal à toute personne suivant des cours privés de pilotage. Il extraye l'instrument de son étui de cuir, scrute et scrute encore avec méfiance la plaque d'aluminium ornée de chiffres, de cercles, de degrés, d'angles...

— À quoi ça sert?

Je m'apprête, fort complaisamment, à lui donner le mode d'emploi tout en sachant bien à l'avance que cet esprit borné ne saurait saisir mes explications, quand l'autre me coupe la parole et éructe: «C'est pour espionner, hein?»

Je soupire.

— Mais non, c'est faux, c'est...

Réplique qui me vaut une gifle magistrale. Si les capacités intellectuelles de mon interlocuteur laissent à désirer, son bras, lui, est une vraie massue. Je reste interdit un instant; la joue droite me brûle. L'homme a l'air très content de lui. Souriant, presque hilare, il allume une cigarette, se penche vers moi, me souffle la fumée en plein visage.

— Ce n'est qu'un début, Monsieur Durant.

Tout en poursuivant son monologue à peine compréhensible, il ouvre un tiroir, sous la table, qui jusqu'ici avait échappé à ma vue... et en sort un téléphone. Du vrai James Bond!

Le simple fait de décrocher le met en communication avec ses collègues. Deux ou trois mots en hébreu et la porte s'ouvre au moment même où mon champion de boxe repose l'appareil. Il n'y a pas à dire, belle organisation!

Le relais lui aussi est au point: mon doux compagnon se lève rapidement, serre la main d'un des deux hommes qui viennent d'entrer et disparaît. Le duo prend la relève: l'un se pose derrière moi, l'autre devant. Celui-là, au moins, je peux l'examiner: quarante-cinq ans environ, visage mince et allongé, cheveux bouclés légèrement grisonnants, taille moyenne, plutôt maigre. Mais pour être franc, ce qui frappe surtout chez lui, c'est une dent en métal bien visible, je dirais même arrogante. Car l'homme ne cesse de l'exhiber en retroussant constamment le côté droit de sa lèvre supérieure. Est-ce par orgueil de posséder une dent en or ou pour mieux hypnotiser ses victimes? Quoi qu'il en soit, je suis obligé de me rendre à l'évidence: ce tic a le don de vous mettre les nerfs à rude épreuve.

Des aboiements en hébreu, derrière moi, me ramènent à la réalité. Le deuxième sbire a l'air de s'impatienter. Je tourne légèrement la tête pour tenter de l'apercevoir.

— Ne vous retournez pas, Monsieur Durant! glapit la dent de métal.

Et promptement il dépose une mallette de cuir noir sur la table. Aussi promptement, il en fait jouer la serrure et le couvercle s'ouvre aussi vite. À l'intérieur, de la paperasserie bien rangée en piles égales, impeccables. Je n'ai pas le temps d'en faire un examen plus approfondi. Les mains posées bien à plat sur les mystérieux documents, l'homme se penche vers moi, articule d'une voix à peine audible: «Monsieur Durant, vous êtes un grand criminel, ça fait cinq ans qu'on vous attend... Alors, qu'avez-vous à dire?»

Un regard rapide sur sa montre me révèle qu'il est plus de 9 h. Soixante-quinze minutes environ se sont écoulées depuis mon saut du lit et je ne doute plus que je ne sortirai pas d'ici avant longtemps. Bon, j'ai au moins un moment de répit. Imitant son prédécesseur, la dent de métal passe au crible tous mes documents, lettres, anciennes factures, photographies... et mon passeport qui semble bigrement l'intéresser. Il n'en finit pas de l'examiner comme s'il le passait aux rayons X.

— Vous êtes canadien?

J'acquiesce d'un signe de tête.

— Qui vous l'a délivré?

Je suis tenté de rétorquer: l'épicier du coin. Comme je vous l'ai déjà dit, j'ai toujours eu un goût très marqué pour l'humour.

— Répondez!

— Le gouvernement d'un pays libre nommé Canada.

Malgré l'épaisse couche qui recouvre ses méninges, l'autre devine l'ironie.

— Ferme ta gueule, sale terroriste!

Je soupire. Il faut savoir ce qu'il veut. La preuve: le voilà qui me questionne encore.

— La raison de ton voyage ici?

— Pour l'instant: tourisme.

— Précise!

— Après avoir obtenu des autorités un visa de trois mois, j'ai introduit une demande de résidence permanente pour mon amie et moi avec le droit de pouvoir travailler et...

— Menteur! - d'un doigt tremblant, il pointe l'intérieur de la mallette - Nous avons suffisamment de preuves pour te détenir en Israël pendant au moins quinze ou vingt ans! Je vais te dire, moi, la raison de ton voyage ici!

Il se rapproche encore. Sa dent de métal m'hypnotise.

— Tu n'es qu'un sale espion! On sait que tu t'es infiltré dans certains milieux arabes hostiles à l'État hébreu, que tu as fait de la prison dans d'autres pays. Et la traite des Blanches, hein, tu ne vas pas me dire que tu ne connais pas? Et le trafic de drogues, on est sûrs que tu en as fait, il ne reste plus qu'à rassembler quelques petites preuves qui nous manquent encore...

Pour l'instant, le plus dur est de dominer mes nerfs, de ne pas me jeter sur ce malade pour lui rentrer sa dent de métal dans la gorge. Ce ne serait sans doute pas le bon moyen de faire reconnaître mon innocence devant ce tissu d'absurdités qu'il vient de débiter. J'ai la sale impression de m'enfoncer dans un cauchemar interminable. J'ai chaud, terriblement chaud; je me sens tout en sueur. L'homme l'a remarqué; il me tend un verre d'eau glacée. J'ai beau en avoir terriblement envie, je décline son offre sans hésiter. Je suis persuadé que sa subite générosité est calculée et que, dès que je ferai mine de tendre la main, le tentant breuvage sera répandu sur le sol. Il m'offre maintenant une cigarette israélienne.

— Non, merci.

Je préfère fumer une des miennes, une «canadienne». Je l'ai à peine allumée qu'elle m'est arrachée des lèvres par une main qui appartient à ce deuxième homme constamment hors de ma vue.

Je hasarde un mot, ne serait-ce que pour échapper à cette ambiance de cauchemar.

— Je peux me rendre aux toilettes?

Quelques secondes d'hésitation avant qu'on me réponde.

— On vous accompagne.

Je suis à peine debout que chacun d'eux m'immobilise un bras. De quoi ont-ils peur, ces maniaques, puisque je suis affublé de menottes? Le visage de l'inconnu m'apparaît. Une vraie face de bouledogue. Il faut lui rendre cette justice: il a vraiment intérêt à rester dans l'ombre.

Et nous voilà partis. Encadré par mes anges gardiens, j'enfile au pas de charge un long couloir plutôt sinistre et, sans crier gare, je suis brutalement poussé dans un réduit d'un mètre cinquante sur un mètre cinquante qui n'a du lieu d'aisance que le nom. Pas de cuvette. Un simple orifice circulaire au niveau du plancher. J'en conclus qu'il faut viser juste, ce qui ne semble pas être le cas du personnel de l'édifice, car les abords du trou prouvent tout le contraire. La porte est maintenue ouverte et je comprends que c'est sous les regards jouisseurs d'environ une quinzaine de membres de la très respectable police isralienne que je devrai satisfaire mes besoins naturels. Cette fois-ci, c'en est trop. Je décide de me venger et, avec une virtuosité grossière, je lâche un pet retentissant à la face des spectateurs. Le petit groupe semble très humilié: c'est tout juste s'ils ne crient pas pour être remboursés. Je triomphe le temps de quelques petites secondes avant d'être réintégré à coups de pieds dans le fondement et ailleurs dans mon sombre bureau d'origine. Mais, ô stupeur! l'agencement de la pièce a été modifié. Deux autres tables ont été ajoutées dans l'alignement de la première et, derrière elles, non plus deux mais quatre personnages sont assis, l'air grave, vêtus genre touristes aux Antilles ancienne mode. Devant chacun d'eux, une mallette de cuir noir, soeur jumelle de celle de la dent de métal.

L'homme du centre me prie de m'asseoir. Le bouledogue glisse brutalement une chaise sous mes fesses, avec une telle force que je me retrouve assis avant même de l'avoir voulu. Silence. Je jette un coup d'oeil à l'individu qui vient de m'inviter à prendre place. Très grand, un vrai géant, les cheveux coupés en brosse, le teint brique, les yeux en amande, l'air impénétrable. Certainement le président de ce tribunal d'inquisition. Il ne dit toujours rien, continue de plonger son regard dans le mien. Cherche-t-il à m'endormir ou à me sonder, à scruter la moindre de mes réactions? Ou encore prolonge-t-il le silence dans un but psychologique, pour achever d'éprouver mes nerfs? Je commence à me demander s'il n'est pas tout bonnement muet; mais non, le voilà qui se secoue et qui débite dans un français presque parfait: «Monsieur Durant, cela fait cinq ans que nous vous attendions. Vous devez vous douter des raisons pour lesquelles vous êtes ici?»

Prestement, il sort deux enveloppes de sa mallette.

— Ces deux lettres sont bien de vous, n'est-ce pas?

J'écarquille les yeux, incrédule. Oh non, ça ne se peut pas! Ce serait donc à cause de ces deux pauvres petites lëttres que...

— Oui mais, écoutez-moi, je...

Peine perdue. Le géant m'interrompt aussitôt.

— Cela est très grave, Monsieur Durant, très grave... (On

commence à le savoir. Décidément, tous ces gens-là devraient être internés dans un asile d'aliénés!) La matière de ces missives suffirait à elle seule à vous faire incarcérer pendant dix ou quinze ans.

Je commence à perdre pied. Je viens de réaliser que, quoi que je dise, ils ne me croiront pas. J'essaye pourtant de ne pas trop me répéter que tout est joué d'avance, histoire de garder le moral.

Le président a perdu un peu de son calme olympien. Il se met à vociférer tout en me quittant pas des yeux: «Monsieur Durant, nous avons d'autres preuves additionnelles contre vous! (Lesquelles, mon Dieu? Arrêtez ce cauchemar ou je deviens fou, moi aussi!) Tout est consigné ici. Vos aveux ne sont pas nécessaires, seulement quelques petites explications de détail que vous allez nous donner, dans votre propre intérêt.»

Deux tours de clé rapides libèrent mes poignets endoloris par les menottes. Sur la table, une dizaine de feuilles et un stylo attendent mon bon vouloir.

— Vous disposez d'une heure pour relater par écrit tout ce que nous savons déjà, articule lentement le président de la Cour.

Pour un agent des services de sécurité, le feinte n'est pas de première. Autant m'avouer que leurs fameuses preuves relèvent de l'utopie. Et pour cause! Je reprends de l'assurance, mais elle s'évapore comme neige au soleil dès que j'ai achevé ma prétendue déposition. Lue et relue, passée de main en main, elle est finalement jetée au fond d'une corbeille à papier. Plus digne du tout, la face cramoisie, le président s'approche, se met subitement à exercer la force de ses doigts sur ma nuque, maintient sa pression. La douleur devient insupportable, je commence à étouffer. Enfin la brute desserre son étreinte. Il se penche vers moi, me hurle dans les oreilles: «Recommencez tout! Votre déposition n'est qu'un tissu de mensonges! Rien ne correspond à nos dossiers! Recommencez et cette fois dites toute la vérité, vous entendez? Toute la vérité!»

Je ne sais si c'est à cause de la douleur qui tord encore ma nuque, mais brusquement la patience d'ange dont je faisais preuve jusqu'ici s'évanouit. Un cri jaillit du fond de ma gorge: «Non! Je dis la vérité et je refuse de recommencer!»

Réplique qui a au moins le mérite de les clouer sur place quelques bonnes secondes. Puis la riposte vient: un coup violent dans le dos, un autre dans les côtes: je me retrouve plié en deux par la douleur, aux trois quarts étranglé par le bouledogue qui, pour couronner le tout, appuie son avant-bras contre ma gorge. Un autre coup et je tombe à la renverse sur le ciment, à moitié assommé.

Un cliquetis que je commence à connaître: on me repasse les menottes, encore plus serrées que la première fois. Le bouledogue et la dent de métal me redressent. Je reste là, titubant, tout désarticulé, comme une marionnette qui vient d'achever son numéro. Ils ne disent rien, ils doivent se délecter du spectacle. Les salauds! Dans quel piège diabolique suis-je tombé? J'ai soif. Je n'ai jamais eu autant soif de ma vie; mon corps me fait mal; j'ai l'impression que ma tête va éclater.

Je n'ai pas eu le temps de récupérer que les maniaques de l'espionite reprennent leur interrogatoire. Un feu ininterrompu de questions, de menaces, d'accusations, sans oublier les coups distribués avec art, dosés savamment, presque médicalement. Du bon travail bien fait qui ne laisse pas trop de traces. Ajoutez à cela de bonnes paroles du genre: «N'espérez pas vous en sortir, personne ne peut vous aider!» Ou encore: «Vous n'aurez jamais d'avocat. Votre sort dépend de nous, de nous seuls! Vingt ans de prison c'est fatal à votre âge; alors avouez donc et on sera plus gentils avec vous!»

Au bout de deux heures de ce traitement, je me retrouve dans un état semi-comateux. C'est à peine si je prends conscience qu'une voix s'adresse à moi.

— Un juge sera ici dans une heure. Reprenez vos déclarations, Monsieur Durant, c'est dans votre intérêt, vous savez!

Ils ont placé mes deux mains sur la table, ont glissé un stylo entre mes doigts. Pour m'encourager, un autre coup entre les omoplates. J'ai failli glisser par terre. Je tangue sur ma chaise, à moitié inconscient. Une voix continue de bourdonner à mon oreille.

— Écrivez: «Moi, Jean-Louis Durant...» Écrivez! «Je reconnais avoir diffusé de la propagande antisioniste»... Écrivez, Monsieur Durant!

Brusquement, j'ai un haut-le-corps. Mes doigts lâchent le stylo. Je voudrais crier mais je n'y arrive pas, je ne reconnais même plus ma voix, faible, cassée.

— Sales menteurs! Vous êtes tous des sales menteurs, des...

Un coup de poing en pleine figure m'envoie au pays des songes.

Le néant, puis des formes floues qui s'agitent autour de moi, des voix. Je me retrouve assis en train d'écrire. Depuis combien de temps? Et qu'est-ce que j'écris?

— Signez maintenant.

Je m'exécute. Je ne veux plus rien savoir, seulement dormir, dormir enfin, dormir...

Mes poignets me font horriblement souffrir. Les menottes trop serrées empêchent le sang de circuler dans mes mains qui ont doublé de volume. Je les regarde, comme hébété. Elles ont l'air de deux moignons tuméfiés, violacés. Et puis il y a cette question que je n'arrête pas de me poser, qui me terrifie: qu'est-ce que j'ai pu écrire sous leur dictée? Quel tissu d'absurdités ont-ils réussi à m'extorquer?

Je sursaute. Un remue-ménage bruyant se poursuit autour de moi. Une vraie sortie de classe avec des bruits de chaises, des tables qu'on déplace, des allées et venues continuelles. Puis des chuchotements, des chuchotements qui me semblent arriver de partout. Il se prépare quelque chose.

De nouveau le silence, suivi d'un «Bonjour, Monsieur le juge» et quelques formules de politesse. À grand' peine, je parviens à garder les yeux ouverts. Je distingue un homme, dans les cinquante ans, grisonnant, visage allongé, avec en guise de lèvres un seul trait mince qui s'ouvre comme la gueule d'un poisson, vêtu genre croque-mort: du noir, rien que du noir. Sans doute pour donner plus de dignité à la cérémonie, les aimables policiers ont cru bon de planter les quatre pieds de la chaise et de la table qui lui sont réservées sur une pile assez impressionnante d'annuaires téléphoniques. Dans le fond, la chose est assez comique et l'humour ne perdant jamais ses droits, je me retiens pour ne pas m'esclaffer.

La dent de métal se penche vers moi, me susurre à l'oreille: «Monsieur le juge est ici spécialement pour vous.»

Et moi de répondre, du tac au tac: «Merci, c'est trop d'honneur!»

J'ai beau essayer de faire de l'esprit, je ne me sens pas très rassuré. Sous des dehors aimables, le nouveau personnage ne m'inspire pas plus confiance que les autres. Trop calme à mon goût. Un air de faux-jeton qui suffirait à anéantir toutes mes espérances, si j'en avais. Ils m'ont poussé face à lui, mais c'est tout juste si je peux l'apercevoir tant la table improvisée pour son usage est perchée dans les nuages. Ma parole, ils doivent avoir piqué tous les annuaires de la région pour édifier ce trône-là. Du haut de son perchoir, le juge semble m'ignorer totalement, tout occupé à lire les fameuses pages qu'on m'a fait écrire tout à l'heure. La sueur recommence à couler sur mon visage, dans mon cou. Si seulement je pouvais me souvenir, me souvenir...

La voix du juge retentit enfin, trop aiguë, éminemment antipathique. C'est tout juste s'il prend la peine de respirer entre deux phrases. Il a hâte d'en terminer, c'est certain. Aucune réplique ne m'est permise. Les questions tout comme les réponses sont son exclusivité.

Au bout de quelques minutes, j'ai tout compris: convoqué par les services de sécurité, ce juge n'est présent que pour la forme, pour donner un semblant de légalité aux agissements de ces messieurs. Toujours est-il que la sentence est rendue: on devra prendre soin de ma personne pour une durée de quinze jours, afin de permettre un complément d'enquête. Je serai donc transféré en fin de journée au bureau de police de Patah-Tikwa, en banlieue de Tel-Aviv. Et voilà!

Heureux d'en avoir fini, le juge saute prestement de son trône, serre quelques mains et disparaît. Tandis que les autres s'affairent à enlever les annuaires et à remettre les meubles en place, je me retrouve assis sur une chaise, toujours menotté, complètement accablé, avec en prime l'affreuse certitude qu'on m'a arraché des aveux truqués.

Je ne peux pas m'empêcher de tressaillir. Une main s'est posée sur mon épaule, en douceur: un visage d'homme se penche vers moi, empreint d'amabilité, j'oserais dire de gentillesse. Je crois rêver.

— Attendez, Monsieur Durant, je vais vous libérer de vos menottes.

Ce que l'inconnu fait sur-le-champ avec un sourire affable.

Une sensation de soulagement incomparable envahit mes poignets. Mon bon Samaritain me donne un verre d'eau glacée que je bois avidement, puis deux autres encore. Je ne sais plus quoi penser. Je payerais cher pour savoir qui est ce nouveau venu. Un ennemi? Un allié?

— Je vous ai observé depuis ce matin, reprend-il de la même voix douce. Vous savez, je réprouve certaines choses qui se font ici, mais hélas je suis impuissant.

Mis en confiance, j'ose l'interroger sur mes prétendus aveux. Que contiennent-ils au juste? Il hésite un court instant, consent enfin à me répondre... en se gardant d'être trop précis.

— Je ne sais pas exactement, mais soyez sur vos gardes; ils ne vont pas en rester là... Je ne peux pas vous en dire plus. Quant à votre amie, je la ferai prévenir avant ce soir. De toute façon, elle sera convoquée à mon bureau demain matin; il faut qu'elle subisse un interrogatoire... Soyez rassuré, aucune similitude avec le vôtre!... Non, je suis désolé, je ne peux pas vous autoriser à communiquer avec elle par écrit, mais si vous avez un peu d'argent, donnez-le moi. J'essayerai au moins de vous procurer des cigarettes.

Je lui remets une centaine de livres israéliennes. Il les enfourne vivement dans sa poche et disparaît après m'avoir souhaité bon courage.

Bon courage! Ouais, Dieu sait que j'en ai besoin! Deux gardes s'approchent de moi. De vieilles connaissances ceux-là: le même duo qui est venu me réveiller ce matin à mon domicile. Ils m'ordonnent de me lever et de les suivre. Et nous voilà repartis dans les corridors. Il faut croire que depuis mon arrivée ici, j'ai eu droit à un peu de publicité: des dizaines de fonctionnaires se sont massés sur mon passage. À plusieurs reprises, j'entends le mot «*espionni, espionni*», prononcé sur un ton de profond dégoût. C'est tout juste s'ils ne me crachent pas au visage.

À l'extérieur, le soleil aveuglant me fait tituber. Au bas des marches, la même petite auto jaune nous attend. Nous allons franchir les limites de la cour quand un individu en uniforme fait signe au chauffeur de s'arrêter. Quelques mots en hébreu et le policier en faction remet au conducteur un sac de plastique contenant des paquets de cigarettes. Mon mystérieux allié a donc tenu parole. Piètre consolation, quand je pense qu'il nous reste cent kilomètres à parcourir sous cette canicule jusqu'à ma nouvelle résidence de Patah-Tikwa, avec la certitude au-dedans de moi que ce que j'ai vécu n'est rien à côté de ce qui m'attend.

Allons c'est bête, un grand garçon comme moi ne devrait pas, mais tandis que défile le paysage si coloré des villes du désert, j'ai bien du mal à me retenir de brailler.

CHAPITRE II

Pour la compréhension du lecteur, il est utile maintenant de relater le plus brièvement possible les faits qui furent à l'origine de mon incarcération et de la haine pathologique qu'éprouva et qu'éprouve encore l'État sioniste à mon égard. Ainsi qu'on pourra le constater, comme on dit vulgairement, ça vaut son pesant d'or. Une histoire à rire ou à pleurer, là-dessus je vous laisse le choix.

Tout commença six ans plus tôt, plus exactement au début de l'année 1972. À cette époque, je vivais à Beloeil, dans la banlieue de Montréal, avec ma femme et mes quatre enfants. Quelques mois plus tôt, j'avais perdu un très bon emploi dans une usine du coin qui venait de faire faillite. Pour mon épouse, ce licenciement avait équivalu à une catastrophe. J'avais réussi à trouver un travail de gérant, hélas moins bien rémunéré. Aussi, c'est avec une amertume croissante - et non dissimulée - que ma femme considérait mon portefeuille qui ne se remplissait pas assez vite à son gré et s'essoufflait à suivre le rythme effréné de ses dépenses. Tout cela accompagné de jérémiades sur ses prétendus rhumatismes qui ne lui laissaient pas de repos, de pressions exercées par les enfants eux-mêmes. Bref, j'envisageai la solution radicale et je décidai de changer d'air.

Je proposai à mon épouse une tentative en Israël. Elle fut aux anges et poussa même la bonne volonté jusqu'à se convertir comme moi au judaïsme. Puis elle n'eut de cesse de précipiter notre départ. Ce qui avait au moins ceci de bon: elle ne pensait plus à se plaindre jour et nuit de ses rhumatismes.

Je ne partageais pas, quant à moi, son optimisme béat; j'éprouvais même une certaine peine à quitter le Canada, ce pays qui était devenu le mien et où j'avais vécu heureux. Bref, le 1er février 1972, nous posons le pied en Terre Sainte. Les premières semaines sont grisantes. Tout nous enchante: le soleil, les palmiers, l'atmosphère bien typique et dépaysante du Moyen-Orient. Nos économies nous évitent, du moins pour l'instant, de nous heurter au coût de la vie bien plus élevé qu'en Amérique du Nord. Mais, il fallait s'y attendre, cette euphorie de vacanciers ne dure pas. Notre pécule s'amoindrit rapidement et notre pouvoir d'achat aussi. Ajoutez à cela la difficulté de communiquer avec des voisins de culture trop différente et vous conviendrez que le tableau de la petite famille en goguette s'est plutôt assombri. Lorsque, quatre mois après notre arrivée, nous décidons de déménager de Beer-Sheva à Eilat, ville située plus au sud sur le golfe d'Aquaba, nous ne laissons derrière nous qu'une poignée d'amis: la famille Luzon d'origine tunisienne qui, durant toutes ces semaines, a représenté une sorte de hâvre de paix pour nous, surtout dans les moments difficiles.

À Eilat, peu à peu, notre vie s'organise. J'ai retrouvé mon optimisme. La vision quotidienne du magnifique golfe d'Aquaba et la sensation de vacances permanentes qui émane de ce lieu y sont sans doute pour quelque chose. Toujours est-il que je manipule allègrement la brosse à chaux pour un employeur d'ailleurs très sympathique, pas trop exigeant et toujours rigolard, bref le «boss» rêvé. De leur côté, ma femme et ma fille aînée ont trouvé un emploi à la cuisine d'un hôtel de la plage. Nous ne roulons pas sur l'or, loin de là, mais je m'en contente. Moi. Pas ma douce épouse.

Quelques semaines plus tard, je dois me rendre à l'évidence. Ma femme partage son temps entre la cuisine et le cocufiage systématique. Sous les auspices d'un cupidon au charme oriental, elle se met à jouer la belle Otero doublée de Mata-Hari. J'ai beau rappeler à la décence l'épouse infidèle, rien n'y fait. Et comme un malheur n'arrive jamais seul, là voilà qui, un beau matin, affirme avoir glissé au sortir de la douche et s'être heurté le bas du dos contre le robinet de cuivre. Cris, pleurs, gémissements et hurlements de souffrance. J'arrive à la convaincre qu'elle n'a rien de cassé. Quelques jours plus tard, elle recommence à se plaindre de douleurs lancinantes au bas de la colonne vertébrale. Médecins et thérapeutes défilent, s'avouent impuissants. Son humeur, qui n'est pas déjà des plus joviales en temps normal, ne s'en trouve pas améliorée. Elle s'est mise dans la tête qu'elle hait l'état d'Israël qui est responsable selon elle de tous ses maux. Elle n'a plus qu'une obsession: rentrer au Canada au plus vite. Mais comment faire? Mes revenus sont trop modestes compte tenu du coût du voyage. Une seule solution: contacter les soldats canadiens basés à Limasol, sur l'île de Chypre, dans le vague espoir d'obtenir un emploi qui me permettrait de défrayer le coût du passage jusqu'à Montréal.

Vingt-quatre heures à peine après mon départ, c'est la tête basse, déprimé et fatigué, que je reviens à Eilat. Le gouvernement chypriote m'a refusé le droit d'entrée sur l'île et m'a envoyé dans mes pénates *manu militari*, pieds et poings liés! Inutile de dire que cet échec n'améliora en rien l'humeur déjà acariâtre de mon épouse. Dès mon retour, elle ne se gêna pas pour me le faire savoir: ce n'était plus seulement l'État d'Israël qui était l'objet de sa haine, mais aussi ce mari, selon ses propres termes, «raté et incapable».

Je risquai une demande de rapatriement par le biais de l'ambassade du Canada, à Tel-Aviv. Mes déboires émurent sincèrement ces messieurs, sans rien apporter toutefois de positif. Il fallait que j'attende de savoir si Ottawa était favorable. Je ne devais pas m'inquiéter, on communiquerait avec moi dès qu'il y aurait quelque chose de nouveau.

Pendant ce temps, ma chère épouse poursuivait consciencieusement sa crise de paranoïa aiguë. J'étais impardonnable de l'avoir emmenée dans ce pays exécré. Je voulais sa perte. L'État sioniste et moi-même nous étions associés pour l'assassiner et j'en passe. On a beau avoir une solide et joyeuse nature comme la mienne, il y a des moments où les nerfs commencent à craquer. Au bout de quelques mois de ce régime, c'était mon cas. Je naviguais perpétuellement entre deux eaux: la folie et le désespoir. Je me sentais aussi coupable vis-à-vis des enfants qui ressentaient terriblement cette atmosphère d'enfer. Et le Canada qui restait muet! C'est dans ce marasme, cette ambiance de démence quotidienne, que je commis cette irréparable erreur dont devait m'accuser plus tard l'État hébreu.

Décembre 1972. Je rentre à la maison après mon travail et je m'étonne de pas entendre crier mon épouse. D'habitude, elle se met à hurler dès que je tourne la clé dans la serrure. Cela provoque comme un déclic chez elle. Donc, aujourd'hui, silence. Intrigué, je me dirige vers le salon. Ma femme m'y attend, fébrile mais souriante.

— Assieds-toi, m'ordonne-telle, et écoute...

Je remarque *in petto* qu'elle ne semble plus souffrir de son fameux mal de dos. Elle semble même en pleine forme, métamorphose qui n'est pas sans m'inquiéter.

— Écoute, il est possible de se procurer l'argent nécessaire pour notre retour au Canada, reprend-elle d'un ton assuré. Bien sûr il y a un léger risque, mais il faut l'assumer. Tu dois m'aider!

Perplexe, je n'ose encore l'interroger. Elle s'allume une cigarette, la manipule nerveusement entre ses doigts.

— Voilà. Tu vas voir, c'est très simple. Il s'agit de contacter des milieux arabes ennemis d'Israël. Tu leur promets des informations diverses, tout en affirmant ta haine de l'État hébreu. Vu ton statut ici de citoyen libre, ils te feront confiance et payeront à bon prix ce qu'ils veulent savoir.

Sur le coup, je reste sans voix, complètement suffoqué. Voilà donc ce qu'elle avait concocté entre deux crises de rhumatismes avec ses mystérieux Adonis orientaux! L'effet de stupeur passé, je me dresse, hors de moi.

— Tu es folle! C'est non, tu entends? Non et non! L'espionnage ou tout autre travail de cet acabit me révolte et puis ça me fout la trouille rien que d'y penser! Ne compte pas là-dessus, je refuse!

Hurlements, pleurs, grincements de dents, rien ne m'est épargné. Ma femme se roule par terre, maudissant ma lâcheté, et achève de se venger sur la vaisselle. Les enfants accourrent, ils nous regardent, atterrés. Ce spectacle déplorable a assez duré. Je prends mon épouse dans mes bras et vais la déposer sur le lit. Elle pleurniche.

— Je souffre trop et ces salauds de médecins qui ne trouvent rien... J'en ai assez, je vais me suicider!

La plus petite de mes filles s'est mise à pleurer elle aussi: les autres me supplient du regard. Je soupire.

— Bon, d'accord. Je vais tenter une démarche; seulement, il faut que tu sois patiente. D'ici là, réagis un peu, au moins pour les enfants!

Mes paroles ont un effet miraculeux et un semblant de vie paraît l'animer. Elle croit en ma bonne volonté. En fait, j'essaye de gagner du temps dans l'espoir que l'ambassade du Canada agrée enfin notre requête.

Mais mon épouse, elle, était bien décidée à battre le fer pendant qu'il était chaud. Comme par enchantement, des enveloppes et du papier à lettres avaient été placées sur ma table, attendant sagement mon bon vouloir. Alors oui, je dois l'avouer, ne fût-ce que pour passer une soirée tranquille, pour revoir sourire mes enfants, je me prêtai à ce jeu imbécile. Mais tandis que, sous la dictée de ma femme, mon stylo traçait des mots sur le papier, j'étais bien décidé à faire disparaître à la première occasion cette littérature de mauvais goût.

Il me faut d'ailleurs préciser que ces documents ne contenaient aucune information d'ordre militaire; d'ailleurs, en fait d'information, ils n'en contenaient aucune. Plutôt une longue litanie de termes haineux destinée à des milieux dont j'ignorais totalement la politique et même l'adresse! Sur ce point, une fois la rédaction terminée, mon épouse se mit en devoir de m'informer. À l'entendre, tout était déjà organisé et le courrier suivrait une filière secrète et compliquée. Du vrai roman!

Je l'écoutais à peine, tout préoccupé de faire disparaître au plus vite ces lettres absurdes dont je ne voyais pas l'utilité et qui ne reflétaient même pas mes propres sentiments. J'ignorais que ma femme avait tout prévu. Car - et c'est le plus incroyable - ce courrier me passa littéralement sous le nez!

Profitant d'un court séjour que je faisais aux toilettes pour satisfaire des besoins bien naturels, ma chère moitié, dans un regain de vigueur inattendu, s'empara de ces papiers compromettants et s'envola vers le bureau de poste. Quand l'un de mes enfants vint me prévenir, il était déjà trop tard. Mon épouse était sortie de la poste quand je la rejoignis et les bureaux fermaient. Bravo! Bien calculé! Il ne me restait plus assez d'énergie pour l'engueuler, lui hurler ma colère, mon dégoût. Mes jambes ne me portaient plus. Je regagnai mon domicile comme un somnambule.

La suite des événements se déroula à la vitesse d'un vieux film muet. Le Canada acceptait enfin le rapatriement à ses frais et je le rembourserais plus tard, ce que j'ai fait d'ailleurs. Merveilleuse nouvelle qui fut tempérée par une autre beaucoup moins bonne: quelques jours avant notre départ d'Israël, mon épouse me confia que les services de sécurité israéliens avaient intercepté le fameux courrier. Elle avait été gratifiée de quelques gifles - malgré son état de santé si déplorable, n'est-ce pas? - et elle devait sa liberté au fait que toute la responsabilité de ces lettres m'incombait et que mon arrestation était imminente! Mais non, je n'avais pas à m'inquiéter outre mesure puisque je n'étais encore, semblait-il, que sous surveillance! Bien voyons, c'était aussi simple que cela!

Inutile de préciser que je multipliai aussitôt mes démarches de concert avec l'ambassade qui avait très bien saisi la situation. C'était une question d'heures. Après maintes péripéties et sueurs froides, nous quittions enfin l'État hébreux, le 11 janvier 1973, à bord d'un appareil du Canadien Pacific. Le cauchemar - ou plutôt la première partie du cauchemar - venait de se terminer.

Les six années suivantes, que je passai au Canada, allaient être marquées par deux événements: la fin de ma vie commune avec ma femme et la rencontre de Lise, celle qui devait devenir ma compagne, qui l'est toujours et le restera, je l'espère, jusqu'à ma mort.

Ce fut au début de l'année 1978 que ma femme me signifia qu'elle me quittait définitivement pour vivre sa vie. Je ne pense pas qu'elle ait eu lieu depuis de regretter ce départ; moi non plus.

La séparation se fit en douceur, peut-être plus en douceur que ne l'avait été notre vie commune: les enfants étaient maintenant assez grands pour comprendre, mon épouse s'ennuyait avec moi - il fallait croire que la haine qu'elle éprouvait toujours à mon égard ne parvenait plus à l'occuper - et continuait, pour meubler le temps, à collectionner les amants. Quant à moi, toujours humoriste et philosophe, je regardais s'effriter notre couple sans le moindre regret ni la moindre émotion. Bref, quand l'heure de la délivrance sonna, nous dûmes pousser, l'un et l'autre chacun de son côté, un gros soupir de soulagement.

Peu de temps après, Lise apparut dans ma vie. Un édicule de métro - plus précisément celui de Longueuil, sur la Rive-Sud - servit de cadre à nos amours naissantes. Décor assez prosaïque me direz-vous, mais que voulez-vous, on ne choisit pas. Donc, ce soir d'hiver, j'usais impatiemment mes caoutchoucs dans une ronde infernale autour du kiosque à journaux. Je devais être l'image parfaite du contribuable stressé, perdant les pédales devant le retard éhonté de sa tendre moitié qui traîne ses rondeurs aux abords des étalages à bagatelles. Ce n'était pourtant pas mon cas: je n'attendais pas ma femme - qui devait être sans doute occupée au même moment à des jeux moins innocents - mais un copain avec lequel j'avais projeté une petite virée à Montréal. Et voilà qu'à la place du copain en question, une adorable jeune fille s'avance vers moi. Elle se présente. Elle s'appelle Lise et mon ami l'a déléguée pour excuser son désistement. Elle m'a identifiée sans erreur grâce à une description apparemment efficace. Je m'aperçois immédiatement que je gagne au change.

Quitte à paraître puéril, je peux vous affirmer que j'eus tout de suite le coup de foudre... et la demoiselle aussi. J'avais trente-neuf ans à l'époque, et Lise seulement dix-huit, mais la différence d'âge ne constitua pas la moindre entrave. Cette soirée-là fut suivie de beaucoup d'autres, tout aussi exquises. Lise était admirable, attentionnée, passionnée, généreuse, animée par une inextinguible soif de connaître. Bref, elle possédait tout ce qui faisait défaut à mon ex-épouse. Grâce à elle, je revivais, je recommençais à faire des projets dont celui de repartir à zéro avec ma compagne, sous d'autres cieux. Un beau jour, je parlai à Lise d'Israël où j'avais résidé un an, en 1972. La perspective du soleil brûlant, du désert, de l'ambiance mystérieuse du Moyen-Orient l'enthousiasma.

— Allons y vivre, chéri. Je suis sûre que ce sera formidable!

Pourquoi pas? J'acceptai. Vous allez peut-être me trouver naïf ou complètement inconscient, mais je ne pouvais pas, non vraiment je ne pouvais pas concevoir que cette vieille affaire de lettres me causerait encore des ennuis. Pour les services de sécurité israéliens comme pour moi, tout cela avait dû être oublié, rangé aux archives dans un dossier couvert de poussière que personne ne penserait à consulter. Après tout, je n'étais coupable de rien, sauf de quelques mots peut-être un peu vifs. De là à m'accuser d'espionnage, allons donc c'était du roman et qui plus est, du mauvais roman!

C'est ainsi que le 22 avril 1978, nous nous retrouvâmes à bord d'un vol KLM à destination d'Israël, bien calés dans nos sièges, insouciants et heureux comme deux jeunes époux en voyage de noces.

Une escale était prévue à Amsterdam. Les deux heures d'attente à Shipol, l'aéroport national hollandais, furent assez ternes. Il faisait encore nuit au dehors, les boutiques hors-taxe étaient fermées et nous échouâmes dans un snack-bar miraculeusement ouvert. Le menu était particulièrement médiocre et notre seul avantage fut de pouvoir enfin retirer nos chaussures neuves qui nous martyrisaient les pieds. Puis l'air se remplit du son monocorde et nasillard des hauts-parleurs. Les voyageurs étaient invités à rejoindre la salle de transit.

Une foule bigarrée l'occupait déjà, en proie à une agitation fébrile. Des piles de bagages défilaient lentement sur le tapis roulant, sous l'oeil soupçonneux de quelques douaniers. À un moment, je reconnus une volumineuse malle bleue bien cadenassée, trop peut-être. La preuve: le douanier réclamait le propriétaire. Je me présentai.

J'ouvris complaisamment la malle comme on me l'ordonnait. Le contenu fut aussitôt inspecté, tâté. Un civil s'était joint au préposé et ils conversaient dans une langue qui m'était incompréhensible. La méfiance et aussi une certaine déception se lisaient sur leurs visages. Bon Dieu, qu'est-ce qu'ils espéraient trouver? Un kilo de cocaïne? La panoplie du parfait terroriste?

Une foule de questions me tomba dessus. En général, je concède beaucoup de choses, surtout pour éviter de contrarier qui que ce soit, mais dans le cas présent, je sentais une certaine agressivité m'envahir. Si un jour on vous demande à quoi peut servir une brosse à dents, une brosse à cheveux ou un pinceau d'artiste et que vos réponses, parfaitement logiques, ne déclenchent aucun signe de compréhension chez votre interlocuteur, alors de deux choses l'une: ou vous êtes en présence d'un maniaque, ou vous êtes suspect au dernier degré. J'optai pour la seconde solution.

Finalement jugée inoffensive, ma malle rejoignit les autres bagages. À cet instant, une hôtesse de la compagnie annonça à l'assistance qu'elle devrait patienter encore quelques minutes avant l'embarquement. Intermède qui ressemblait à s'y méprendre à un procédé antiterroriste. Or, j'en étais certain, ce contrôle n'était pas dû au hasard; les services de sécurité hollandais agissaient de façon inhabituelle. Et soudain la lumière se fit. Je venais de me souvenir d'un léger incident survenu quelques instants plus tôt...

À un certain moment, alors que Lise et moi nous étions

arrêtés devant la vitrine d'une petite boutique de l'aéroport, j'avais remarqué la silhouette d'un homme qui se reflétait dans la glace. Son manège m'avait même intrigué. Ses regards obliques, l'air indifférent qu'il affectait dès qu'il se sentait observé, confirmaient mon diagnostic: ce gars-là m'espionnait. Inutile d'essayer de le répérer à nouveau: sa brève filature avait pris fin dans la salle de transit où il s'était évanoui dans la nature comme par enchantement. Je n'en tenais pas moins une certitude: pas besoin d'être un émule d'Arsène Lupin ou de Sherlock Holmes pour déduire qu'il existait un lien plutôt étroit entre mon épieur et la vérification poussée de mes bagages.

Simple touriste, je prenais soudain figure de dangereux suspect, mais pour qui? J'écartai sans hésiter les autorités hollandaises. Il ne m'était jamais venu à l'idée de saccager un champ de tulipes ou de trafiquer clandestinement du fromage, fût-il l'un des plus appréciés au monde. Restait Israël. Mais comment croire que j'étais fiché, tant d'années après, pour quelques pauvres petites missives dans le fond dérisoires? Lise décela mon trouble, insista pour obtenir des éclaircissements. J'y consentis bien à contre-coeur, tant il m'était pénible de jouer le trouble-fête.

Je lui révélai tout sur mon premier séjour en Israël, sur les lettres guère flatteuses pour le sionisme, dont j'étais l'auteur. Je lui confiai aussi qu'il se pourrait bien que j'aie quelques ennuis en arrivant à l'aéroport Ben-Gourion.

— Et alors, répliqua-t-elle d'un ton enjoué, tu n'as tué personne, tu n'as pas lancé de bombe à ce que je sache! Arrête donc de t'énerver, on ne met pas quelqu'un en prison pour si peu. Et puis, s'ils t'interrogent, tu leur expliqueras et ils comprendront. Allez, viens. Regarde, les voyageurs commencent à embarquer!

Après tout, elle avait raison. Tout cela n'était peut-être que le fruit de mon imagination.

Quelques instants plus tard les portes de l'appareil se refermaient sur nous comme une trappe.

Quand l'appareil eut atteint l'altitude de croisière, je me sentis un peu plus détendu; je le fus encore davantage après avoir avalé des vodkas orange que nous avions commandées à l'hôtesse. Le repas fut dévoré avec appétit et une bonne cigarette acheva de nous contenter. La tête appuyée sur le dossier de nos sièges, nous savourions pleinement ces instants; nous étions heureux.

J'avais dû somnoler un bon moment lorsque Lise m'éveilla. Une hôtesse se tenait devant nous et nous proposait un assortiment de boissons diverses. Lise opta pour une bouteille de vin rouge et j'appuyai chaleureusement son choix.

On dit souvent que le vin délie la langue, on pourrait tout aussi bien ajouter la vue. La preuve en est qu'ayant à peine ingurgité deux ou trois gorgées du divin liquide, mon regard se figea. Assis à quelques rangées devant nous, je venais de reconnaître mon mystérieux épieur de l'aéroport. Et pour couronner le tout, il ne cessait de m'observer du coin de l'oeil. Pas d'erreur, c'était mon homme.

Une fausse randonnée aux toilettes dissipa mes derniers doutes. Mon chien fidèle se contorsionnait sur son siège d'une façon grotesque pour ne pas me perdre de vue. Que craignait-il? Que je quitte l'avion en parachute? En regagnant mon siège, je ne me gênai pas pour l'examiner: grosse tête joufflue, complètement imberbe, joues roses et longs cils, perruque décolorée à outrance, en somme l'image même du bon gros niais. Mais ce qualificatif un tantinet grossier n'enlevait rien à la réalité: en toute logique, cette grosse baudruche était bel et bien un policier des services secrets d'Israël. Ça promettait.

Lise elle aussi avait remarqué finalement le manège de cet agent secret plutôt indiscret. Elle me souffla à l'oreille: «Le type là-bas, tu le connais?»

Je rétorquai, essayant de prendre un ton dégagé: «Pas personnellement. Mais ce romanesque personnage n'éprouverait aucune difficulté à t'exhiber ma photographie agrafée à un condensé de *curriculum vitae* portant en rouge la mention Extrêmement dangereux.»

Quelques instants de silence. Lise essayait de sourire, mais le coeur n'y était plus.

— Jean-Louis, je ne peux pas m'empêcher d'être inquiète et toi?

— Mais non... Il faut s'attendre à quelques rebondissements, mais ne t'en fais pas, la Gestapo n'existe pas en Israël.

Ce qui ne m'empêchait pas de penser *in petto* que les dés étaient jetés. Nous saurions bien assez tôt s'ils étaient truqués.

Par la suite, Lise me questionna encore sur ce qui s'était passé six ans plus tôt. De nouveau, je lui narrai tout en détail et nous sommes parvenus, l'espace de quelques minutes, à nous rassurer. Puis l'inquiétude renaissait, grandissait au fur et à mesure que nous nous approchions de la métropole israélienne.

L'instant de vérité était imminent: au-dessous de nous, l'immense tache bleue de la Mare Nostrum scintillait à perte de vue. Comme nous aurions aimé jouir de ce magnifique spectacle, le coeur insouciant, en vrais touristes! Déjà, on nous invitait à boucler nos ceintures. Le Boeing 707 amorçait sa descente vers une piste d'atterrissage de Tel-Aviv.

Autour de nous, les autres voyageurs se contorsionnaient pour apercevoir la côte et enfin la ville étincelante de couleurs vives sous le soleil. Notre gros joufflu à moumoute continuait de lancer des regards obliques dans notre direction.

Lise et moi avions la gorge sèche et nous restions muets.

Un léger heurt fut suivi d'applaudissement frénétiques. Nous venions de prendre contact avec le sol biblique. La sortie de l'avion s'effectua dans l'anarchie la plus complète. Les passagers se bousculaient aux portes de l'appareil; c'était à qui sortirait le premier. Mon amie et moi n'étions pas pressés et nous avions bien raison: à la hauteur de la dernière marche de la rampe de débarquement accrochée au flanc du long courrier, une mauvaise surprise nous attendait en la personne d'une jeune femme vêtue d'un uniforme aussi bleu que l'azur.

Pointés du doigt, nous fûmes invités à la suivre. Le cinéma à la James Bond continuait.

Notre petite promenade prit fin à l'entrée d'une roulotte en aluminium, perdue sur la piste, tandis que notre jolie rose bleue disparaissait avec ses épines. Une voix brutale nous ordonna de pénétrer à l'intérieur. Un personnage à la mine patibulaire nous y attendait, un revolver et des menottes à la ceinture; bref, rien du genre comique.

L'entrevue fut néanmoins assez courte: présentation des passeports, durée du séjour, but du voyage, le tout agrémenté de quelques questions banales, presque rassurantes. Je commençais à me persuader que je m'étais inquiété pour rien quand mon regard tomba sur une liste de noms posée sur la table en acier. Justement, voilà que notre interlocuteur s'en saisissait, commençait à la parcourir consciencieusement de son index. Soudain son doigt s'immobilisa entre deux lignes. Un tressaillement de son visage accompagné d'un sourire ironique termina cette pré-enquête!

Ne sachant que penser mais tout de même soulagés - du moins pour l'instant - nous fûmes enfin congédiés. Mais nos épreuves n'étaient pas terminées: le dédouanement allait être la dernière étape et non la moindre. Une autre fleur, verte cette fois, se crut obligée de s'opposer à notre sortie. Une petite pression sur le bouton magique dissimulé sous son comptoir ameuta ses collègues en pantalon. Tels des chevaliers servants, ces messieurs accoururent au secours de la belle employée des douanes.

Nouvelle fouille longue et laborieuse des bagages, interrogatoires pénibles, chuchotements incompréhensibles et sourires sceptiques. Ces petits messieurs avaient l'air de se plaire bougrement en notre compagnie, plaisir qui, inutile de le spécifier, n'était nullement partagé. Notre inquiétude s'accrut encore lorsque nous entrevîmes, dans un bureau voisin, notre gros joufflu à moumoute en grande discussion avec ses collègues. Sans nul doute, nous étions les héros du jour.

Relégués finalement sur un banc, à l'écart du public, nous nous perdions en conjectures. Puis un policier s'avança vers nous et nous remit nos passeports auxquels étaient agrafés deux tickets de sortie.

— Vous êtes libres. Bon séjour en Israël.

Ces mots me laissèrent plutôt rêveur, mais pas suffisamment pour pourrir dans les parages. J'entraînai Lise par la main. Quelques secondes plus tard, nous respirions à pleins poumons l'air libre.

En un temps éclair, digne des records olympiques, nous récupérions nos bagages avant de partir à la recherche d'un taxi qui nous mènerait à la ville de Beer-Sheva, à cent kilomètres au sud.

Confortablement installés à l'arrière de l'auto, Lise et moi nous congratulions pour notre comportement héroïque, comme deux étudiants heureux d'avoir passé avec succès un examen. Avec cette différence que, dans notre cas, les mauvaises notes auraient engendré des suites assez désagréables.

Au dehors, la nuit estompait les contours du paysage. D'un oeil faussement indifférent, le chauffeur lorgnait du côté de son compteur. Les chiffres s'accumulaient ainsi que notre fatigue et, en dépit des cahotements de la route, nous sombrâmes dans un sommeil à toute épreuve.

J'aurais sans doute dormi moins profondément si j'avais su la vérité: ces messieurs ne se désintéressaient pas de mon cas. Mais dans leur infinie bonté, ils me laissaient un répit de deux mois, le temps de me surveiller, le temps que je m'imagine, en gros naïf que j'étais, qu'ils m'avaient oublié.

CHAPITRE 3

À l'entrée de Beer-Sheva sommeille sous une chaleur de plomb le grand et somptueux édifice de l'Hôtel du Désert, le plus bel hôtel de la région. C'est dans ce relais paradisiaque que s'acheva notre randonnée en taxi. Notre chauffeur avait pris cette initiative, s'imaginant peut-être véhiculer un célèbre millionnaire voyageant incognito. L'heure était trop tardive pour essayer de le détromper ou même tenter de discuter ses tarifs qui, eux, n'avaient rien de céleste. Toujours est-il que Lise et moi décidâmes d'un commun accord de limiter à cinq jours notre *dolce vita* dans cet hôtel un peu trop luxueux pour notre portefeuille.

Notre premier réveil se fit sous les auspices d'un rayon de soleil qui s'insinuait dans la chambre entre les rideaux mal fermés et qui taquinait nos visages encore endormis. Son insistance eut enfin raison de notre paresse. Lise courut aussitôt à la fenêtre. Tout l'émerveillait: la ville aveuglante de blancheur, le bleu presque insoutenable du ciel... et aussi un paisible bédoin dans le plus pur style oriental qui, à la porte de l'hôtel, offrait aux clients extasiés la possibilité d'éprouver le mal de mer sur un chameau plutôt récalcitrant.

Quelques instants plus tard, en bons touristes consciencieux, nous acceptions de servir de cobayes. Quelques pas de l'animal eurent tôt fait d'anéantir la témérité de Lise et, à sa descente, je lus sur son visage que la prochaine expérience serait plutôt lointaine.

Après un petit déjeuner succulent qui nous remit l'estomac en place, nous décidâmes d'aller faire une visite éclair de Beer-Sheva. Pour Lise, elle se déroula comme un conte de fées. De mon côté, je retrouvais avec une certaine émotion des images que le temps n'avait pas réussi à estomper: Beer-Sheva, la ville aux sept puits, l'antique cité d'Abraham, immense oasis nichée au coeur du désert: Beer-Sheva, étrange combinaison de l'ancien et du moderne, avec ses murs millénaires et ses HLM dont le ciment est à peine sec, ses bédoins, son charme mystérieux, envoûtant... Peut-être plus encore que moi, Lise ressentait intensément ce déploiement de couleurs, de lumière, ces sons nouveaux, saccadés, lancinants qui se propagent dans l'air chaud aux effluves multiples et excitantes, ces marchés arabes ou juifs où s'étalent les produits les plus divers dans un désordre indescriptible et bigarré.

Durant ces cinq journées, l'appareil photographique de Louise ne dérougit pas. Il engloutit bobine sur bobine pour graver à jamais les fruits multicolores qui scintillaient au soleil, toute cette brocante aux reflets de cuivre étalée dans les boutiques et à même le sol, dans les allées des souks, le marché aux chameaux si exotique, tous ces tissus fins aux teintes chatoyantes dignes de la palette d'un Rubens et mille autre visions au pouvoir magique.

Nous nous étions informés des moyens de transport pour nous rendre à Eilat, à deux cent cinquante kilomètres plus au sud, qui devait être notre prochaine étape. Un autobus pouvait nous y conduire, qui partait de Beer-Sheva à 7 h du matin, autant dire à l'aube! Le matin du cinquième jour - jour fixé pour notre départ - comme il fallait s'y attendre, nous

nous levâmes en retard. Le marathon commença. Un petit déjeuner pris à la hâte, la note d'hôtel réglée aussi vite, distribution de pourboires au personnel, une poignée de main au gérant qui, tout sourire, nous assura de sa sympathie et affirma qu'il regretterait des clients comme nous. Compte tenu des sept cent cinquante dollars que je venais de lui laisser pour cinq fois vingt-quatre heures, j'étais totalement de son avis.

Malgré le temps qui pressait, je dus faire un crochet pour me rendre au domicile de la famille Luzon, les seuls amis que j'avais connus en Israël six ans plus tôt, car j'avais décidé de leur laisser une partie de nos bagages trop encombrants. Nous eûmes à peine le loisir de nous voir, de nous embrasser, mais ce n'était que partie remise à notre retour d'Eilat. La course en taxi se poursuivit, toujours aussi folle, jusqu'au *mirkaz* des autobus. Le grand véhicule jaune et bleu nous attendait. Le chauffeur se saisit de nos *kartiss*, les perfora nerveusement.

— Vos places sont à l'arrière. Par votre faute, nous avons quinze minutes de retard!

Nous étions à peine installés que l'autobus s'ébranlait après trois ou quatre hoquets. Cap plein sud! Mais les cinq heures de trajet ne s'annonçaient pas de tout repos: une vraie promenade vaudevillesque. Les voyageurs formaient un étonnant mélange, du militaire armé à la bonne grosse mémère encombrée de sacs à provision entassés jusque dans l'allée centrale. Et tout ce capharnaüm baignait dans une chaleur suffocante aux relents mêlés de sueur et d'épices: en Israël, l'air climatisé est réservé aux seuls autocars pour touristes venus d'autres pays. Une seule halte, en plein désert, interrompit cette expédition dantesque et enfin, aux environs de 14 h, le paysage s'habilla de verdure toujours plus dense. Au loin, d'imposantes montagnes pourpres se découpaient sur un fond de bleu violent. J'en conclus que nous approchions du but. À notre gauche, se déployait maintenant une immense tache verte, merveilleusement rafraîchissante après toutes ces heures de paysage désertique: les plantations de la vallée du Yotvata qui débouchent sur Eilat.

L'autobus s'immobilisa brutalement au haut d'une côte bordée d'habitations blanches aux tuiles rouges. Nous étions arrivés. Une débandade imprévue et sans pitié nous expulsa du véhicule.

Dehors, une véritable fournaise oppressait les poumons: 38°C à l'ombre et nous n'étions que le 29 avril. Charmante perspective! Mais l'incroyable beauté du décor qui s'offrait à nous suffisait largement à compenser ce désagrément. Muette d'admiration, Louise contemplait ce tableau baigné d'une lumière incomparable: la vaste baie au bleu irréel du golfe d'Aquaba, ceinturée de montagnes or et pourpre.

Je dus arracher Lise à son ravissement. La recherche d'un hôtel importait plus que tout pour l'instant, d'autant plus que nous étions en pleine Pâque juive et qu'un déferlement de touristes inondait les rues. Notre choix se porta sur un nom très prometteur, l'Hôtel de la Plage, à ce détail près qu'il était planté au milieu de la ville. Le prix modique et surtout l'assurance qu'il y restait une chambre libre achevèrent de nous décider. Nous réservâmes pour trois jours.

Remis en forme par une douche et une courte sieste, nous étions prêts à dévaliser les cuisines de l'hôtel, effort qui aurait été bien inutile car ce curieux établissement était complètement dépourvu de tout ce qui avait trait à la restauration. La formule de rechange était à la fois simple et originale: le déjeuner et le dîner étaient servis non à l'hôtel mais à la plage, sur une sorte de terrasse en bois qui menaçait d'ailleurs de s'effondrer à tout moment. L'atmosphère toutefois ne manquait pas de charme: vous pouviez dîner entouré de corps à demi nus, bronzés pour la plupart - d'où émergeaient parfois de tristes anatomies au teint d'aspirine de vacanciers occidentaux, bercé par le murmure de la mer qui venait mourir à quelques mètres de votre table. Et pour couronner le tout, quelques mélopées langoureuses de circonstance venaient vous chatouiller les oreilles, ajoutaient la dernière note romantique au tableau.

Inutile d'essayer de se trouver une place. La terrasse était bondée et me semblait-il plus bringuebalante que jamais. Mieux valait oublier momentanément notre faim et trouver un terrain un peu plus ferme. Par exemple, le sable de la plage.

Seulement voilà, en fait de sable, il n'y en avait pratiquement plus. Il avait tout bonnement disparu sous une multitude de corps étendus, apparemment inertes. Cependant, héroïques comme toujours, nous nous lançâmes à l'attaque. Se déplacer dans cet amalgame de fessiers, de jambes et de dos relevait du plus pur exploit. Force nous fut de battre en retraite. D'ailleurs, nous venions de formuler un autre projet: non loin de là, on proposait aux touristes une excursion maritime à bord de jolis bateaux qui possèdent cette particularité: leur fond est vitré pour que le passager puisse admirer tout à loisir les magnifiques coreaux et la flore sous-marine de la mer Rouge qui sont parmi les plus beaux qui soient au monde.

Nous pûmes constater que cette réputation n'était pas surfaite. L'eau était d'une transparence cristalline. Nous pouvions voir à plus de vingt mètres de profondeur et nous nous taisions soudain, envoûtés par ce monde inconnu, ces images toujours renouvelées, mouvantes et silencieuses, inoubliables.

Tout près de la frontière jordanienne, coincé entre une plantation de joncs et la plage, était enfoui un hôtel assez inédit: ses barraquements construits en bambou et dispersés sur un vaste terrain circulaire de terre rouge et de sable lui donnaient l'aspect d'un village africain. L'originalité du lieu nous décida, Lise et moi, à y revenir et à y résider durant deux jours. Deux jours qui s'avérèrent affreux.

L'air climatisé - aussi absent que l'air tout court - nous obligeait à ingurgiter une quantité invraisemblable de boissons gazeuses que la direction de ce sauna vendait à des prix prohibitifs. Et je vous parlerai pas des nuits blanches, occupées à chasser les essaims de mouches attirées par l'odeur de notre transpiration. Une seule solution: essayer de chercher le sommeil sous les couvertures de laine étouffantes, aussi râpeuses que des planches à clous.

Les yeux mi-clos bordés de larges cernes, les membres mous, la tête en compote, nous ressemblions à deux vieux noceurs épuisés quand nous pûmes enfin nous échapper de ce purgatoire.

Quelques jours plus tard, nous quittions Eilat pour réintégrer Beer-Sheva, à bord d'un avion huit places, non sans avoir subi de nouveau une fouille rigoureuse, digne soeur des précédentes. Décidément la police des aéroports nous affectionnait!

Le survol du désert du Néguev ne fut qu'une suite de trous d'air assez inconfortable. Indifférent à ces turbulences thermiques - comme il semblait l'être à tout, ce qui était beaucoup plus inquiétant - notre pilote n'en finissait pas de mâchonner des allumettes. Mais ce n'est pas tant à cause de tout cela que ce voyage restera à jamais gravé dans ma mémoire. En une seconde, l'angoisse que j'avais ressentie à Amsterdam puis à notre arrivée à l'aéroport de Tel-Aviv, venait de ressurgir sans crier gare.

Et pour cause: assis juste devant nous, un agent de sécurité israélien jouait au touriste innocent. Inutile de nous raconter que notre imagination nous jouait des tours. Il suffisait que je me déplace pour que mon agent secret, sans la moindre discrétion, m'emboîte le pas. Il ne nous lâchait pas d'une semelle. Le cauchemar recommençait, mais cette fois j'étais bien décidé à ne pas me laisser aller à de sombres considérations. Touriste j'étais, touriste je resterais!

Dès que notre avion atterrit à Beer-Sheva, sans daigner jeter un regard en arrière pour savoir si nous étions suivis, j'entraînai Lise à la recherche d'un taxi et je donnai au chauffeur l'adresse de mon ami Luzon qui gardait complaisamment le gros de nos bagages depuis cinq jours.

Notre arrivée ne passa pas inaperçue. Véronique, l'avant-dernière des filles qui, lorsqu'elle n'allait pas à l'école, avait le nez collé en permanence à la fenêtre, ameuta toute la famille. Tous se précipitèrent pour nous accueillir. À l'exception de Tamar, l'aînée des filles, qui vivait en France, tous les membres de la tribu étaient là: le père et son épouse Marie, leurs trois fils, Amos, Élie et Moshé, le benjamin à peine âgé de cinq ans, et aussi les quatre filles: Rachel qui cherchait désespérément le mari modèle; Danièle, la naïve au grand coeur;

l'espiègle et coquette Véronique et enfin la petite Sandrine de neuf ans, ma préférée, qui autrefois m'appelait tonton.

Les voisins eux-mêmes étaient de la fête: embrassades, poignées de main, nouvelles embrassades, nouvelles poignées de mains... La réception se poursuivit dans l'appartement où un dîner des plus copieux nous attendait. Tous nous pressèrent de questions: qu'avais-je fait à mon retour au Canada? Quels étaient maintenant nos projets? Et bien sûr, ils nous avaient réservé une chambre. Inutile de refuser, nous les offenserions gravement en allant loger ailleurs. Mais Lise et moi ne nous fîmes pas prier pour accepter leur invitation. Toutes ces manifestations d'amitié nous réchauffaient le coeur, nous rassuraient. Tout à coup, l'homme à la moumoute décolorée et son collègue de l'après-midi s'éloignaient, devenaient des silhouettes floues, irréelles. Tout redevenait simple. Nous étions fous de nous être inquiétés à ce point. Demain, la main dans la main, Lise et moi partirions à la recherche d'un logement comme deux jeunes mariés: nous obtiendrions un prolongement de notre visa de séjour sans difficulté - après tout, pourquoi nous ferait-on des difficultés? S'ils avaient voulu m'arrêter, ils l'auraient déjà fait! - et une nouvelle vie commencerait pour nous, sous le soleil éclatant d'Israël.

Chose dite, chose faite. Le lendemain, nous nous mettions en quête d'un appartement. Après quelques démarches vaines, nous rencontrâmes Monsieur Hamit, propriétaire de son état.

— J'ai un logement pour vous, nous annonça-t-il. Vous verrez, c'est tout à fait ce qui vous convient!

Et il offrit de nous y conduire. Quelques instants plus tard, il stoppait sa Volkswagen dans la rue Abraham - A vinu. Il s'extirpa d'ailleurs non sans difficulté de son véhicule tant son énorme volume s'ajustait mal à la petitesse de son auto. Péniblement, il gravit les marches d'un escalier étroit et, hors d'haleine, soufflant comme un phoque, il réussit finalement à ouvrir la porte de ce qu'il appelait d'un ton attendri «son petit bijou».

— Conservez-moi ça en bon état et tout ira bien entre

nous, conclut-il en nous remettant les clés avant de disparaître.

Lise se laissa tomber sur un canapé, regarda autour d'elle avec une certaine satisfaction. La propreté du «petit bijou» laissait à désirer mais, ma foi, en le soumettant à un grand ménage de printemps...

— Bon, ce n'est pas si mal. Un bon nettoyage et cela pourra se comparer avantageusement à un quatre et demi canadien!

Lise était radieuse et moi aussi. Nous étions enfin chez nous.

La semaine qui suivit fut uniquement consacrée au rajeunissement et à la désinfection consciencieuse de notre tanière, tâche laborieuse étant donnée la négligence complète du ou des précédents occupants. Outre la tenace couche de graisse qui recouvrait la cuisine, il fallut nous battre aussi contre une cohorte de lézards et d'araignées d'une taille plus que respectable qui, sans nous demander la permission, avaient décidé de cohabiter avec nous. Au bout de huit jours, le grand ménage était terminé. La visite inoppinée de Monsieur Hamit nous confirma l'efficacité de nos travaux.

— Magnifique! hurla-t-il en reprennant son souffle à grand peine (décidément, un jour cet escalier lui serait fatal).

Il nous remit un deuxième jeu de clés et s'esquiva.

Nous aurions pu croire en toute logique que tout était maintenant en ordre dans notre nouveau nid. Hélas, au fil des jours, notre petit bijou révéla tous ses vices: le réfrigérateur d'un autre âge assumait ses fonctions d'une façon plutôt fantaisiste, passant de la congélation à la décongélation sans prévenir, au gré de ses caprices. Impossible donc de s'y fier pour la conservation des aliments. Et si ce n'avait été que cela: la serrure de la porte d'entrée, aussi têtue que maniaque, faillit à plusieurs reprises nous obliger à coucher dehors; au moindre mouvement, notre lit se disloquait; obtenir de l'eau chaude requérait une patience d'ange; quant à la toilette, perpétuellement obstruée, elle n'arrangeait rien et, pour parachever ce tableau d'inconfort, un envahissement permanent d'armées d'insectes de toutes les tailles et de tout acabit!

Sans compter la chaleur: à la mi-mai, au Moyen-Orient, l'air est déjà torride et ne consent à fraîchir que provisoirement durant les deux ou trois petites heures qui précèdent l'aube. Nos nuits suffocantes étaient à pleine allégées par un ventilateur poussif et capricieux qui fonctionnait quand il en avait le temps. Restaient les douches que nous prenions deux à trois fois, sinon plus chaque nuit. Nous étions sans doute devenus les gens les plus propres en ville!

Mais malgré tous ces inconvénients, nous gardions le moral. Nous avions encore tant de choses à découvrir autour de nous, tant de sensations neuves, dépaysantes pour nous, Occidentaux, à éprouver: ces restaurants orientaux aux menus si variés, si étranges, à l'ambiance énigmatique; cette orgie de couleurs et de cris les jours de marché où le Juif et l'Arabe savent si bien se côtoyer hors du champ politique. Se glisser, tous sens en éveil, entre ces échoppes où le poisson exposé disparaît sous une nuée de mouches vorances; surveiller ses pas, de crainte de piétiner quelques fruits ou légumes égarés; se pincer le nez parfois en guise de protection contre les effluves d'urine d'un âne ou d'un chameau qui, sans pudeur, assouvit au beau milieu de la rue ses besoins les plus élémentaires; être attentif à l'âpre et mystérieuse discussion entre un marchand et un acheteur désireux de négocier au plus bas prix l'article convoité. Sons, couleurs, odeurs, tout nous surprenait, nous enchantait.

Observez bien ces bédouines soumises, assises à même le sol, qui attendent patiemment leurs époux affairés à quelque transaction, ces terrasses bondées où sont proposés les plus délicieux jus de fruits, cafés et pâtisseries qu'il vous soit donné de savourer. Et si l'ivresse qui se dégage de cette tour de Babel en quête de nourriture vous assourdit trop, quittez nonchalamment ce haut lieu de la gastronomie et dirigez vos pas vers la vieille ville. Vous longerez ses murs antiques aux reflets d'or, des pierres ancestrales qui furent témoins de tant d'histoire, des bâtisses plus que millénaires à la géométrie cubique et primitive entre lesquelles trônent majestueusement des palmiers dattiers et des touffes de cactus géants aux épines redoutables.

Laissez errer vos regards sur ces arrière-cours de maisons ensevelies sous une mer de fleurs grimpantes aux tons infinis. Bientôt vous comprendrez que c'est une aberration que de vouloir tout capter: le bleu indescriptible du ciel, le reflet du sable doré, l'intense lumière diurne qui accroît la blancheur des façades et rétrécit vos pupilles, cette température brûlante et constante qui tout à coup vous fait douter de l'existence de la neige.

Lise et moi étions heureux, heureux malgré nos nuits étouffantes, heureux malgré nos petites tracasseries domestiques, heureux d'avoir de bons amis commes les Luzon, heureux de subir et de goûter pleinement le charme et le pittoresque de ce pays, de ne pas penser encore à le démystifier, à chercher sous le vernis local d'autres réalités bien moins plaisantes qui, elles, ne relèvent pas du folklore pour touristes. Oui, nous étions heureux, heureux et confiants. Trop sans doute.

Un mois après notre retour à Beer-Sheva, tout s'écroulait. Ces messieurs venaient de décider que mon sursis avait assez duré.

Deuxième partie

Sur la corde raide

CHAPITRE 4

J'ai un peu perdu la notion du temps depuis notre départ de Beer-Sheva. La monotonie du décor y est pour quelque chose: devant moi, la même route désespérément droite coupant à travers les monticules de sable et, en gros plan, les nuques épaisses de mes deux brutes assises à l'avant qui n'en finissent pas de bavasser et me gratifient régulièrement d'un coup d'oeil méfiant assorti d'une grimace imbécile qui a le don de me saper les nerfs. Quelle journée! «L'avenir appartient aux gens qui se lèvent tôt,» dit-on. Tu parles! J'ai l'impression que trois siècles se sont écoulés depuis mon réveil en fanfare. Tout se brouille dans ma tête: les longs corridors sinistres des locaux de la police à Beer-Sheva, les coups, la soif, la douleur, le petit juge s'agitant en haut de sa pile d'annuaires téléphoniques... Et maintenant ces fichues dunes de sable qui se foutent bien de moi. Çà et là, un campement de bédouins qui vaquent à leurs occupations avec une nonchalance qui tout à coup m'exaspère, indifférents au ronronnement de la petite voiture jaune. D'ailleurs, tout le monde est indifférent à mon sort. On pourrait me découper en morceaux sur la place publique que personne ne s'en préoccuperait. Personne. Sauf Lise. Non, il ne faut pas que je pense à elle ou je vais me mettre à brailler.

Pour couronner le tout, mes deux convoyeurs ont décidé d'ouvrir les glaces avant de la voiture pour rafraîchir leurs illustres personnes. Ce qui a pour résultat de me placer au centre d'un tourbillon d'air chaud très déplaisant. Mes cheveux n'arrêtent pas de voltiger dans une samba endiablée et ils se rabattent inlassablement sur mes yeux envahis de grains de sable. Charmant. Il ne manquait plus que ça. Je me penche en avant, résolu à leur exprimer mon mécontentement, en y mettant des formes, bien sûr. Ma demande plus que polie se heurte à un non catégorique. Le contraire m'aurait étonné.

Je détourne la tête vers l'extérieur. L'image de ces deux salauds, même vus de dos, me rend malade. Les kilomètres défilent. Dans un élan d'optimisme, j'imagine une providentielle crevaison ou au pire un accident qui m'offrirait une faible chance de m'évader ou de me retrouver sur un lit d'hôpital. Trop tard. Ce sera pour une autre fois, en espérant que cette fois-là ne se produira jamais. On doit approcher de notre destination: la circulation devient plus dense, la grande ville n'est plus loin. Les cultures se font plus nombreuses: orangers, citronniers, palmiers, champs vert et or... Dans quelques instants, je n'aurai pour perspective que les quatre murs de ma cellule, alors autant admirer une dernière fois cette suave verdure. Mais je n'y arrive pas. Une journée comme celle que je viens de vivre a de quoi m'ôter toute faculté d'émerveillement.

Je ne parviens même plus à me concentrer, à fixer mon esprit sur quelque chose de précis. Dans le fond, tout ce scénario de mauvais goût n'est peut-être qu'une sale blague imaginée par qui sait qui pour qui sait quoi dans le but de me faire peur, de me donner une leçon, une punition qu'on reçoit sans trop la comprendre comme lorsqu'on est tout petit... Un arrêt brutal à un feu de signalisation me ramène à la réalité. Inutile de jouer au paranoïaque. Je ne suis qu'un pauvre type qu'on transfère de prison. La banalité autant que l'absurdité de cette assertion me donne froid dans le dos.

Nous voilà maintenant en plein «trafic». C'est l'heure de pointe à Tel-Aviv. Qu'est-ce qui arriverait si j'ouvrais ma fenêtre, si je me mettais à crier à toute cette foule qui nous entoure qu'on veut m'emprisonner et que je suis innocent? Rien, rien, bien sûr. Au mieux, ils m'écouteraient et se dépêcheraient de me repousser dans l'auto avec des mines scandalisées.

C'est donc dans le plus grand anonymat que nous empruntons l'ultime rue où se dissimule la prison de Patah-Tikwa.

La gorge serrée, les mains moites, j'enregistre le spectacle coloré que m'offre la rue achalandée, les dernières images qui symbolisent la liberté. Un *walkie-talkie* en main, mon chauffeur entre en communication avec ce que je soupçonne être le bureau de réception de mon hôtel quatre étoiles. J'ai deviné juste. Un virage à angle droit et notre auto s'immobilise à un cheveu de quatre ou cinq marches situées dans l'axe d'une énorme porte d'entrée.

L'air serein, mes deux copains s'étirent les membres comme deux chiens après une bonne sieste. Leurs belles manières restent intactes. Pour me le prouver, ils m'arrachent sans compassion à mon siège et me forcent à rectifier ma tenue à coups de claques derrière le crâne. Quelques secondes plus tard, fiers d'avoir accompli leur mission, ils m'entraînent tel un animal dangereux qu'on tient en laisse, vers le bureau du greffe.

L'appellation de bureau est sans doute trop généreuse pour cette espèce d'antichambre de l'oubli aux murs nus et gris. Le comité de réception m'en dit long sur le genre de ses bonshommes: des vraies gueules de fonctionnaire de la Gestapo: un primate à figure vaguement humaine règne en ce lieu secret; son adjoint, genre minus soumis, se tient immobile, un peu en retrait, les yeux remplis d'admiration et de terreur pour son chef bien-aimé et tout puissant. Mes deux salauds qui m'escortent depuis Beer-Sheva confient au grand singe la totalité de mes effets personnels. Une vérification de routine, une signature sur un bordereau en hébreu et tous mes pauvres biens se retrouvent dans une boîte métallique affublée d'un numéro.

Ils m'enlèvent ma ceinture et mes lacets. Par souci de sécurité, stipule le règlement. Ils me laissent mes cigarettes, mais saisissent ma boîte d'allumettes. Quelques palabres encore et le minus m'invite à le suivre. Lentement, il fait jouer la serrure d'une énorme grille aux barreaux d'acier, la pousse péniblement. Je me retrouve dans une autre pièce de petite dimension. À ma droite, une autre porte grillagée à travers laquelle je devine plus que je ne les vois des têtes de détenus attirés par la curiosité, des regards sombres de désespérés qui me dévisagent en silence... Mais le minus m'ordonne de le suivre à nouveau, ouvre l'imposant cadenas d'une plaque métallique bien ajustée dans son encadrement de béton, de quoi vous donner le frisson. J'avance de quelques pas et je m'engouffre dans un couloir étroit, long d'une dizaine de mètres. Sur l'un des murs, de minuscules fenêtres grillagées, très haut placées, laissent filtrer un filet de lumière à peine suffisant pour se déplacer sans danger. Percées dans l'autre mur, une porte en bois franc - close bien sûr - et une autre à battants qui donne accès à un cabinet avec douche; au fond, deux plaques métalliques encore qui camouflent deux cachots. Celui de gauche m'est réservé.

La porte qui grince sur ses gonds, comme dans les films d'horreur, la clé qui tourne dans la serrure et puis le silence, le silence total... La trappe s'est refermée et pour combien de temps? Je regarde autour de moi. J'ai vite fait le tour de ma suite royale. Deux lits en fer superposés: voilà pour le mobilier. J'essaye d'évaluer l'espace... si on peut parler d'espace. Environ un mètre cinquante par deux mètres vingt, à peine une largeur d'épaules entre les cloisons et le lit. En guise de fenêtres, deux trous carrés de cinquante centimètres de côté munis de grillages épais et très serrés. Sur l'un des murs, une ampoule électrique sous globe épais, hors d'atteinte; la hauteur du plafond frise les quatre mètres; aucune trace de robinet, de matelas ou d'oreiller. Je rigole douloureusement. Un oreiller! Et puis quoi encore, tu te crois au Ritz?

Je me mets à frissonner. L'humidité en ce saint lieu est plus que suffisante. Tout transpire, autant que moi-même, une seur tiédasse, dégoûtante. Aucune aération pour changer l'air humide et renfermé qui vous colle à la peau. Décidément, ce n'est pas le genre d'institution pour se refaire une santé. Quant au moral, au bout de quelques jours passés dans ce cloaque, il doit en prendre un sérieux coup. En plus, je suis démuni de tout ou à peu près. Mes seuls biens se réduisent à un pantalon, une chemise, deux chaussures et quelques paquets de cigarettes, à ce détail près que mon pantalon est privé de sa ceinture, que mes chaussures portent le deuil de leurs lacets et que je ne dispose d'aucune allumette pour m'allumer une cigarette.

Comme le lit n'offre aucun attrait (qui aimerait étendre ses chairs sur un tapis de lattes métalliques?), je m'assieds à même le sol pour faire le point. Et d'abord, quelle heure peut-il être? Au moment même où je me pose cette question, une voix se met à beugler dans le couloir: «*Ohrel! Ohrel!*» La porte métallique s'entrouvre juste assez pour laisser passer une main velue et anonyme qui glisse rapidement une assiette sur le sol de ciment. La clé tourne bruyamment dans la serrure. Des bruits de pas qui décroissent, s'évanouissent... De nouveau le silence.

— Bandes de dégénérés! Ils me servent la nourriture comme à un chien dans sa niche! Tas de salauds, le monde saura bien un jour ce que vous êtes!

Voilà que je commence à parler tout seul maintenant. Il me semble même que j'ai hurlé sans en prendre conscience. Mes nerfs doivent être à bout. J'attire à moi le fastueux gueuleton: deux tranches de pain sec, un piment vert et cinq olives. Un vrai menu pour *weight watchers.* Quinze jours de ce régime - combiné à une température de sauna - et j'aurai la ligne squelette. Je dresse l'oreille. Des bribes de conversation... Ça vient du dehors.

Péniblement, en prenant appui sur le lit du haut, j'arrive à me hisser au niveau d'une des fenêtres. C'est à peine si je peux apercevoir quelque chose à travers la trame serrée du grillage.

Pourtant, à force de patience et de volonté, je commence à cerner des formes, à reconstituer un décor: un jardin avec ça et là des taches de couleurs vives que je devine être des fleurs. Au centre, un jeune palmier nostalgique qui a l'air aussi prisonnier que moi. Tout autour de ce parc mélancolique, une haute clôture grillagée tout aussi sinistre. À ma droite, la façade arrière d'un immeuble d'un rose sale, peuplé - du moins à ce que je peux voir - de silhouettes le plus souvent en uniformes. Sans doute le bureau de police. La proximité de ces messieurs ne me rassure pas, au contraire. La tentation de nous tourmenter jour et nuit, moi et les autres pauvres types coincés ici, n'en sera que plus grande et je suis persuadé qu'ils ne s'en priveront pas.

Je descends de mon perchoir et je tente de m'étendre sur ma couchette de fakir. J'essaye de me maintenir quelques secondes sur ce lit de torture, mais je suis vite contraint de réintégrer la position debout avec, pour prime, une douleur cuisante dans le dos et derrière les cuisses.

Voilà que je recommence à avoir soif, terriblement soif. Si au moins je pouvais fumer... Mais pas de briquet ni la moindre petite allumette; quant à l'eau, elle est aussi absente qu'en plein désert. Reste une solution: en demander, mais à qui?

Je ne sais plus depuis combien de temps je tambourine comme un forcené contre cette maudite porte. À force de frapper à poings nus, mes mains sont toutes tuméfiées, douloureuses. Aucune réaction de l'autre côté. Je laisse retomber les bras et je me rasseois sur le ciment, complètement découragé. En douce, l'obscurité a pris possession de mon cachot. Seule une faible lumière artificielle filtre à travers les grillages des fenêtres. Avec la nuit, tout à coup ma solitude et le silence sont encore plus difficiles à supporter. Il faut que je réagisse ou je vais devenir dingue. Dormir, par exemple, au moins essayer. D'abord, oublier ma langue sèche qui me semble peser des tonnes, cette sale impression de suffoquer qui ne me quitte plus... J'enlève ma chemise, elle me servira de coussin, ce sera toujours mieux que rien. À tâtons, je me hisse sur le lit supérieur, je m'allonge sur le dos, la tête sur mon oreiller improvisé. Je me suis à peine installé que je ressens un besoin pressant d'uriner. Nouvelle tentative pour ameuter le gardien. Nouvel échec. Et pourtant, ils m'entendent, ces salauds. Peut-être bien qu'ils sont tous en train de rigoler derrière la porte. Un chien, voilà ce que je suis pour eux, un vulgaire chien. Et je dois me résoudre à pisser comme un chien, sur le sol. Encore heureux que mes besoins se limitent à cela!

Je réintègre mon lit de supplice, priant le ciel qu'il m'accorde quelques heures de repos, malgré les lames d'acier qui me labourent le dos. Il doit m'avoir exhaussé, car quelque temps après - combien de temps? - je me réveille en sursaut. Une voix hurle dans mes oreilles à m'en faire sauter les tympans: «Suivez-nous et vite! Vous entendez? Plus vite que ça!»

Je redresse la tête péniblement. Ma cellule baigne dans une clarté artificielle. Il fait encore nuit.

— Allons, dépêchons!

J'arrive à poser les pieds par terre, à faire quelques pas en évitant les rigoles de ma propre urine qui serpentent en tous sens. Mon corps raidi et douloureux m'obéit mal. Exaspéré par ma lenteur, mon visiteur du soir m'éjecte littéralement dans le couloir où attendent trois autres silhouettes. La porte en bois massif que j'ai repérée à mon arrivée est ouverte sur un local exigu mal éclairé. Tout aussi aimablement, j'y suis précipité, assis de force et menotté.

Pas de doute, cette chambre mystérieuse jouit de l'insigne honneur d'être réservée aux interrogatoires. Devant moi: une table de bois sur laquelle un réflecteur projette son puissant faisceau vers le bas en attendant de remplir sa véritable fonction. Pour compléter ce décor inscrit dans la meilleure tradition du film d'espionnage, quatre chaises disposées en demicercle entre la table et un mur. Enfin, un évier avec robinet scellé dans le mur et une espèce d'armoire à pharmacie pour les premiers soins ou la réanimation bien utile, quand ces messieurs se mettent à taper trop dur. Quelques serviettes de bain d'une propreté douteuse traînent sur un petit meuble métallique dont l'un des tiroirs entrouvert laisse entrevoir un bout de corde blanche et mince.

Les ombres vagues qui m'entourent occupent les sièges. À la demi-clarté, je distingue enfin leurs visages qui n'ont rien d'engageant. Je ne peux pas m'empêcher de ressentir un choc quand je reconnais les deux policiers qui m'ont interrogé ce matin, à Beer-Sheva, peu après mon arrestation: le géant et la dent de métal. Les deux autres comparses me sont inconnus. Ils me regardent tous en silence. Le même regard lourd et fixe dont le moins qu'on puisse dire est qu'il est totalement dépourvu d'amabilité. Je me demande jusqu'à quand ils vont jouer à ce petit jeu, mais je me garde bien de parler le premier. Puis un deux compères qui me sont inconnus décide de briser le silence: il se déplace bruyamment avec sa chaise et va prendre place tout contre le bureau. Avec des gestes lents et calculés, il ouvre une mallette noire (encore une! Décidément, c'est à la mode ici!), en sort quelques feuilles qu'il approche à deux centimètres de son visage. Étant donné la forte myopie dont il est affligé, je me dis que le cher homme ferait mieux de porter des lunettes. Les autres ne bougent toujours pas, figés comme des figures de cire excepté la dent de métal qui y va allègrement de son tic exaspérant. De l'autre côté de la table, le myope continue de déchiffrer péniblement les premières lignes du document.

— Ceci est votre déclaration signée, laisse-t-il tomber suavement en me gratifiant d'un coup d'oeil presque joyeux.

Et il se replonge dans sa lecture. À ce rythme-là, on est bons encore pour quatre heures avant qu'il ait terminé la première page.

Mais je mentirais en disant que je suis impatient. Vu ce qui m'attend, rien ne presse, n'est-ce pas? Je décide alors de me livrer à un examen détaillé de l'anatomie de mon myope. Non pas qu'il m'intéresse plus que ma première culotte, mais je présage que cette occupation va créer en moi une sorte de récréation de l'esprit assez bien venue somme toute, en prévision des heures noires que me réservent ces messieurs. Mon homme est assez exceptionnel, du moins dans le genre sale et sordide: de taille plutôt inférieure à la moyenne, le torse court et carré surmonté d'une tête ronde au crâne dégarni et luisant, deux petits yeux porcins, des doigts épais et boudinés aux ongles rongés jusqu'à l'os. Un grand nerveux sans aucun doute, particularité d'autant plus fâcheuse que c'est à lui que semble assignée la responsabilité de l'interrogatoire. Ça promet!

Pour comble de malheur, la soif recommence à me torturer et la proximité du robinet ne fait que l'aiguiser. Je me demande pour la dixième fois si je vais me décider oui ou non à leur demander un peu d'eau quand le replet aux ongles rongés, qui a deviné mon envie, m'offre à boire. Proposition inespérée que j'accepte humblement. L'homme se lève lentement (bien voyons, pourquoi se presserait-il, je vous le demande un peu!), saisit une tasse qu'il remplit à ras bord, la dépose sur un coin de la table. Toujours sans se hâter, il se rasseoit et me fixe quelques secondes en silence. Je dois avoir bonne mine, la langue pendante, les yeux rivés sur la tasse, ne sachant encore ce qui va se passer si j'ose étendre les bras. Je suis vite fixé. Le petit homme se penche en avant, se met à hurler.

— Vous ne méritez pas de boire! (Bien sûr, il faut être naïf comme moi pour croire aux miracles.) Par contre, si vous êtes coopératif, vous aurez cette eau et autant de tasses que vous voudrez; mais il faut nous aider, n'est-ce pas Monsieur Durant?

Un petit sourire sournois qui découvre une dentition déplorable et, aussitôt après, un nouveau hurlement.

— Levez-vous! Nous avons à parler, vous et moi. Toute la nuit s'il le faut!

Je dois m'exécuter. Mes jambes molles tanguent sous moi, la station debout m'est particulièrement pénible et ils le savent, c'est ce qu'ils veulent, que je craque à un moment donné, que je leur demande grâce, que je tombe dans leurs filets comme un fruit mûr. Et c'est ce que je commence à me demander moi aussi: combien de temps serai-je capable de me tenir sur mes jambes en proie à la faim, à la soif, avec toute cette fatigue nerveuse et physique sur les épaules. Combien de temps?

La dent de métal a pris place derrière moi, assis à califourchon sur sa chaise, tandis que le géant arpente la pièce de long en large. L'inconnu qui n'a rien dit jusqu'ici s'est rapproché du replet. Leurs chuchotements et les coups d'oeil furieux qu'ils me lancent ne laissent rien présager de réjouissant.

Soudain, sans crier gare, on braque sur moi la lumière aveuglante du réflecteur. Les salauds, ils ont décidé d'entrer dans le vif du sujet. Je ne vois plus rien; instinctivement, je baisse les paupières.

Une voix beugle dans l'obscurité.

— Gardez les yeux ouverts!

J'essaye bien de les entrouvrir, histoire de ne pas les contrarier, mais le faisceau trop puissant m'oblige à les refermer aussitôt. Ce qui me vaut un coup appliqué à l'arrière du crâne qui me fait presque perdre l'équilibre. Ma tête bourdonne; trois ou quatre autres coups au même endroit me forcent à l'obéissance. Complètement aveuglé, les yeux cuisants, douloureux, j'attends. Quelques minutes interminables s'écoulent. Mes yeux dilatés et noyés par les larmes ne m'autorisent plus aucune vision juste des choses. Je suis sur le point de les fermer quand deux mains se posent sur mes épaules, me font pivoter d'un demi-tour. Je reste immobile quelques instants, puis brutalement on me remet dans ma position initiale.

Une voix encore, celle du petit homme replet, apparemment plus calme, se fait entendre.

— Je sais que vous ne distinguez plus rien pour le moment, ce qui ne vous empêche pas de répondre à mes questions. (Court silence. Je n'entends plus de bruit de pas. Le géant a dû s'arrêter de marcher.) Comprenez-moi bien, Monsieur Durant, plus vite vous nous direz la vérité et plus vite vous pourrez vous reposer. J'ai pris connaissance de vos déclarations de Beer-Sheva, elles sont incomplètes, mais elles nous en disent déjà assez long sur vos activités criminelles.

Je ne peux tout de même pas laisser passer ça. J'esquisse un geste, j'ouvre la bouche, mais l'autre m'interrompt aussitôt et se remet à hurler.

— J'ai sous les yeux des preuves suffisantes pour vous faire incarcérer pendant dix à quinze ans; alors autant tout nous dire, ça vaudra mieux pour vous!

Est-ce que je rêve? Il me semble que lentement le halo de lumière aveuglant se dissipe... Il se sont peut-être aperçus que, s'ils continuaient ce traitement, je serais bon à ramasser à la petite cuiller et qu'ils n'obtiendraient rien de moi. Peu à peu, mes pupilles retrouvent leur dimension normale et je constate avec soulagement que l'intensité lumineuse du réflecteur a été réduite à des proportions plus acceptables. C'est toujours ça mais, manque de chance, un mal de tête épouvantable a pris le relais. S'ils me frappent encore une fois, c'est sûr, mon crâne va éclater en morceaux.

Vient la période des questions, un peu moins civile, il faut l'avouer, qu'à l'Assemblée nationale. Le replet n'en finit pas de multiplier les questions, quitte parfois le ton interrogatif pour le ton assertif. Ce qu'il voudrait, c'est que je confirme ses dires par un mot, un petit détail approprié dont j'aurais le secret. Et voilà; après, à l'en croire, on se serrerait la main comme deux bons vieux copains! Malheureusement pour lui, je suis bien incapable de fournir la moindre réponse qui le satisfasse: je ne peux tout de même pas inventer des mensonges pour lui faire plaisir! Aussi je m'en tiens à la stricte vérité: oui, j'ai rédigé deux malheureuses lettres où je disais du mal du sionisme, en 1972; non, je n'ai jamais voulu que ces lettres soient envoyées, c'est un accident, un stupide accident; non, je ne suis pas un espion, je ne suis pas un espion, pas un espion, pas un espion...

Mon obstination n'a pas l'heur de leur plaire (le contraire eût été étonnant). Les quatre se mettent de la partie, me hurlent dans les oreilles une panoplie de menaces allant de la privation de nourriture à la peine de vingt ans de prison. Je ne les entends même plus. C'est à peine si je distingue leurs ombres gesticulant comme des marionnettes devant moi. Mon mal de tête a encore empiré, ma soif aussi comme ma fatigue. Je sais que je ne pourrai plus rester longtemps ainsi sur mes jambes flageolantes, au garde-à-vous. Quelques minutes, quelques secondes peut-être...

Las de m'interroger, pour se soulager ils se sont mis à m'injurier. Un flot d'ordures contre lequel je n'ai même plus la force de réagir. J'ai droit à tous les qualificatifs les plus imagés. Je suis l'être le plus méprisable, le plus abject de la terre entière. Et en avant la musique, de nouveau le *show* du projecteur. La séance dure une éternité. Je suis aveuglé; j'ai l'impression d'être vidé, disloqué, plus démuni qu'un enfant; je n'en peux plus. Oubliant tout héroïsme, je me laisse glisser sur le sol. Qu'ils me laissent reposer un instant, un tout petit instant, je ne leur en demande pas plus... Aussitôt empoigné, je me retrouve assis sur une chaise. Quelques pincements d'oreilles agrémentés de plusieurs gifles, histoire de me réveiller en douceur.

Mes paupières pèsent des tonnes. Le pire des supplices est de devoir garder les yeux ouverts. Je remarque bien la dent de métal qui s'approche, mais je n'ai pas le temps de me recroqueviller sur moi-même. Un violent coup de poing m'atteint par surprise à la mâchoire inférieure. Il s'en faut de peu que je sois K.O. La tête en feu, je commence à peine à récupérer quand une main me saisit par les cheveux, m'oblige à me redresser.

— Avoue donc que tu es un espion, un terroriste; ensuite tu pourras aller dormir! Allez, avoue, avoue donc!

Je hoche négativement la tête, à bout de forces. Ma langue, collée au palais par la soif, reste comme paralysée; j'arrive à balbutier «Non, non», ce qui me donne droit à une nouvelle raclée. Et le scénario se renouvelle cinq, dix, quinze fois, est-ce que je sais? D'ailleurs, je ne sais plus rien, j'ignore même le temps qui s'est écoulé depuis mon entrée dans cette pièce: quelques heures, une nuit, une nuit et un jour? ...Mon seul désir est de m'étendre quelque part, n'importe où, même par terre, là, à leurs pieds, pour dormir enfin, dormir... Mais ces salauds ne me lâchent plus; ils savent que si je craque, c'est maintenant ou peut-être jamais. À chaque réponse négative de ma part, les coups pleuvent; c'est devenu comme une sorte de rite, un jeu sadique et absurde, sans fin. La silhouette trapue du myope tangue devant mes yeux. Il se met à hurler à pleins poumons.

— Avouez, Monsieur Durant, avouez!

Il en pleurerait de rage. Dans un dernier sursaut, je tente de crier, moi aussi.

— Je n'ai rien d'autre à avouer que les lettres, rien d'autre!

Réplique qui lui extirpe une sorte de gémissement aigu, hystérique. Il devient complètement fou, ma parole! Si j'étais plus en forme, j'en rigolerais peut-être. Il faut dire que le spectacle en vaut la peine: une démence subite, incontrôlable, s'est emparée du replet qui saisit à bout de bras sa chaise de bois, le fracasse littéralement sur la table. Les morceaux voltigent en tous sens. On se croirait au cirque, avec l'ambiance de fête en moins. En fait de fête, c'est la mienne qui continue: pas apaisé par son exploit grand-guignolesque, le petit homme m'empoigne par le col; son visage n'est qu'à dix centimètres du mien, vision fort désagréable, voire carrément répugnante, qui me donne envie de refermer les yeux. Subitement, je les ferme tout à fait. Ce malotru vient de me cracher en pleine figure et le voilà qui recommence. Il semble prendre plaisir à ce petit jeu, l'ordure! Puis sans prévenir, il m'administre un direct dans l'estomac. Il devait être à court de salive.

Au deuxième coup, *bye bye* les gars! Je m'effondre sur le sol, sans connaissance.

Ça doit être la clarté du jour qui m'a réveillé. Je suis étendu par terre, sur le sol de ma cellule. Quelle heure peut-il être? Combien de temps ai-je dormi? Autant de questions auxquelles je suis incapable de répondre, dont je ne connaîtrai peut-être jamais les réponses. Il y a une chose certaine, en tout cas: ma solitude n'aura pas duré longtemps. La porte métallique du cachot vient de s'ouvrir. Le géant et deux policiers en uniforme s'avancent. Ah non, ça ne va pas recommencer! Je veux crier, mais l'état de ma langue qui semble avoir doublé de volume ne s'est pas arrangé. Mon mal de tête non plus d'ailleurs. De toute façon, les trois ostrogoths se moquent bien de mes états d'âme. Ils m'empoignent sauvagement et en route derechef pour la chambre des tortures!

Il serait trop long de relater par le détail les nombreuses séances d'interrogatoires que j'eus à subir à Patah-Tikwa. Comme ces messieurs manquent singulièrement d'imagination, mon récit risquerait de vous ennuyer. Sachez seulement que ces interrogatoires se succèdèrent jour et nuit du jeudi 22 juin au dimanche 25, au lever du soleil, entrecoupés de brefs arrêts durant lesquels je pouvais boire un peu, manger à peine, mais jamais récupérer.

Le dimanche après-midi, j'avais perdu dix kilos en l'espace de quatre jours.

CHAPITRE 5

Dimanche, 25 juin. J'ai à peine fini d'ingurgiter mon maigre repas pour végétarien que le judas de la porte s'entrouve sur un visage inconnu. On m'annonce que je dois me préparer en prévision d'une visite imminente.

Je reste pensif quelques instants. Le ton de l'homme n'était pas agressif, ce qui n'élimine en rien la possibilité de nouveaux tourments. Comme un automate, je me lève, m'adosse au mur. S'ils veulent encore m'interroger, je crois bien que cette fois je vais y laisser ma peau. Pourtant, une invitation relativement civile comme celle-ci n'est pas leur genre. Leur style, c'est plutôt l'empoignade et en avant, que ça te plaise ou non! Une constatation d'ordre matériel, je dirais même totalement prosaïque, interrompt cet intéressant monologue intérieur: sans avoir seulement l'amabilité de me prévenir, mon pantalon est en train de glisser par terre lentement, mais sûrement. Sans doute en raison de ces quatre jours de jeûne quasi total.

Estimant qu'il serait déshonorant de tenir ma culotte à chaque pas, je choisis la solution de rouler ma chemise en boule en vue de combler le vide entre mes reins et ledit pantalon. L'astuce se révèle assez efficace au premier essai, mais je ne doute pas que l'effet soit plutôt ridicule. La preuve: en m'ouvrant la porte, le garde que je vois pour la première fois éclate de rire. C'est affublé de ma ceinture inédite et torse nu que je suis introduit par ce comique dans la pièce réservée aux interrogatoires. Là, je me laisse tomber sur une chaise, complètement interloqué. Le décor de la chambre des tortures a changé du tout au tout. Le réflecteur a laissé la place à une charmante lampe de bureau inoffensive. À côté d'elle, un vase avec des fleurs jaunes et rouges qui donnent une note de gaieté. Jusqu'à l'un des murs qui s'est enrichi de deux peintures à l'huile apaisantes et qui ne manquent pas, ma foi, d'un certain art. Seule une tenace odeur d'eau de javel demeure. Je ne peux pas m'empêcher de sourire. Ah pour ça, ils ont dû nettoyer et frotter, les salauds, pour arriver à ce tour de magie! Mais je ne suis pas au bout de mes surprises: un homme petit au teint hâlé et traînant avec lui l'inévitable mallette noire s'avance vers moi... Il m'offre très aimablement un café. Quelques instants plus tard, le même sourire poli sur les lèbres, il revient avec dans chaque main une tasse de café chaud qu'il dépose délicatement sur la table.

— J'ai une bonne nouvelle pour vous, Monsieur Durant. Votre amie est ici. Vous êtes autorisé à la voir dix minutes (petit gloussement). Le deuxième café est pour elle (nouveau gloussement). Excusez-moi, je vais la chercher.

Je tente de déchiffrer la raison de ce changement d'attitude et de cette faveur incroyable qui m'est accordée de tenir bientôt Lise dans mes bras. C'est sûr, il y a anguille sous roche. Tout à coup, le déclic se fait dans mon esprit. Ce revirement soudain n'est qu'une ruse: ils s'imaginent sans doute qu'une fois seul avec mon amie, je vais laisser échapper des paroles compromettantes qu'ils s'empresseront d'enregistrer à mon insu. Mais dès que Lise apparaît, je ne pense plus qu'à la serrer très fort contre moi. Elle ne peut pas s'empêcher de sangloter et moi, c'est tout juste si je ne me mets pas à brailler comme un veau.

Par quelques mots chuchotés, je l'ai mise en garde contre les micros et autres gadgets à la James Bond sans doute dissimulés dans la pièce. Bien sûr, nous n'avons rien à cacher, mais il vaut mieux éviter tout propos d'ordre politique; ces messieurs auraient trop plaisir à les déformer. Lise acquiesce en silence et m'offre une cigarette, la première depuis quatre jours. Elle me confie avoir vécu dans une angoisse constante depuis mon arrestation et aussi avoir été interrogée deux fois dont une ici, à Patah-Tikwa, par le policier en civil qui nous a offert le café. Oui, ils ont été relativement polis avec elle; mais moi, qu'est-ce qu'ils m'ont fait pour que je sois dans cet état?

Je demeure relativement discret sur ce point pour ne pas ajouter à son inquiétude. Lise est méfiante; elle comprend que je lui cache certaines choses. Ma barbe et surtout ma maigreur ne lui remontent pas le moral. À la vue de ma chemise roulée en boule et calée dans mon dos, elle se met carrément à hurler sa rage. J'ai bien du mal à apaiser sa révolte, à l'exhorter à garder son calme.

— Ne t'inquiète pas, chérie, ils vont bien s'apercevoir qu'ils font erreur, que je n'ai rien à me reprocher... Écoute, va donc voir les Luzon, je suis sûr qu'ils pourront t'aider. Je ne suis pas tranquille de te savoir toute seule, surtout dans ton état.

Lise essaye de sourire bravement. Je sais ce qu'elle pense: du fond de son coeur, elle souhaite que je sois à ses côtés quand le bébé naîtra. J'ai beau m'employer à la rassurer sur ce point - j'aimerais bien m'en convaincre moi-même - je n'y réussis que bien imparfaitement.

Soudain, le hurlement d'un garde nous fait sursauter.

— Le temps est écoulé!

Une dernière étreinte et Lise doit me quitter. Sur le seuil de la pièce, elle se retourne une dernière fois.

— Je reviendrai te voir le plus vite possible et je t'apporterai des cadeaux, même s'ils disent que c'est défendu; ne t'en fais pas, je me débrouillerai!

Quelques instants plus tard, je me retrouve dans ma cellule, désemparé, mais avec le sentiment d'être un peu moins seul. Il y a au moins un être sur la terre, derrière ces saletés de murs, qui m'aime et qui pense à moi. Et cet amour-là, mes salauds de tortionnaires auront beau faire, ils ne pourront jamais me l'enlever.

Lundi, 26 juin. Lise, ma merveilleuse petite Lise, a réussi à me faire parvenir un sac de fruits. Inutile de préciser que ce cadeau inespéré fond à vue d'oeil. Je suis sur le point d'engloutir ma quatrième orange quand j'entends un remue-ménage inhabituel dans le corridor. Intrigué, je colle mon visage au judas que le gardien a oublié de refermer - négligence providentielle qui va me permettre d'assouvir ma curiosité. Je n'ai pas le temps d'apercevoir quoi que ce soit. Un garde accourt, tout excité et hurlant et me referme violemment l'orifice au nez. De l'autre côté de la plaque métallique, le tumulte et les cris s'amplifient, comme s'ils se rapprochaient.

Le bruit sec d'une porte qu'on referme brutalement, puis le silence... J'en déduis que le cachot contigu au mien vient de recevoir un locataire. Je colle mon oreille à la cloison. Des gémissements plaintifs me confirment qu'il s'agit d'un homme, un homme qui vraisemblablement a été torturé. Il semble que ces messieurs n'en aient pas fini avec mon frère de misère. À plusieurs reprises dans la journée, il reçoit la visite du commando de la torture. Chaque fois, je perçois nettement le bruit des coups, les hurlements de forcenés du quarteron de sadiques mêlés aux plaintes du pauvre diable. Je dois me retenir pour ne pas crier moi aussi de rage et de révolte.

Une assiette - toujours aussi pauvrement garnie - glissée sur le sol de ma cellule, m'apprend qu'il est 6 h du soir. Mais cette fois, je suis décidé à innover. Je bloque du pied la porte entrouverte. Le gardien a l'air furieux. Le moins qu'on puisse dire est qu'il n'apprécie pas tellement mon initiative. Je le rassure tout de suite: ma requête est des plus légitimes. En me servant des quelques mots d'hébreu que je connais, appuyant la parole par des gestes que j'espère évocateurs, j'arrive à lui faire comprendre que j'espère obtenir l'insigne privilège d'user de la douche et des toilettes.

Pour être brutale, la réponse n'en est pas moins prometteuse: j'aurai le droit d'aller barboter, mais seulement après avoir mangé. Sur ce, mon gardien s'esquive et - fait incroyable - ce petit distrait oublie de refermer la porte à clé.

Que fait l'oiseau lorsque, par distraction, on laisse sa cage ouverte? Bien sûr, je sais que toute idée d'évasion rocambolesque est exclue et que je ne pourrai qu'aller me buter les ailes contre les hauts murs blafards du corridor. Mais c'est toujours ça. Après m'être débarrassé au plus vite de mon frugal repas, je décide donc une petite excursion dans le couloir. À pas feutrés, je gagne l'autre extrémité, les sens en éveil. L'agencement des lieux me revient en mémoire. En toute logique, je dispose d'au moint vingt secondes d'avance sur le geôlier qui, pour parvenir du corps de garde à l'endroit où je me trouve, doit ouvrir obligatoirement deux portes. Au premier bruit de clés, j'aurai donc le temps d'effectuer une retraite prudente jusqu'à mon lit.

Bon, restons calme et allons voir à quoi ressemble la douche en question. Doucement, je pousse l'un des battants de la porte. Effectivement, les toilettes sont digne du reste de l'établissement: émergeant du plafond, un bout de tuyau métallique enroulé de lambeaux de chiffons et, juste en bas, un orifice circulaire entouré d'une plaque de faïence où s'écoulent à la fois - d'ailleurs, semble-til, bien imparfaitement - l'eau, l'urine et les excréments. Une petite merveille d'aménagement rationnel d'un espace restreint avec toutefois cet inconvénient que vous êtes obligé de prendre votre douche les pieds posés dans les déjections. Le dernier nettoyage de ce pittoresque réduit doit remonter au temps de l'occupation anglaise. À droite, scellé dans le mur, un robinet défectueux dégoutte inlassablement dans un évier crasseux. Enfin, une odeur pestilentielle vient compléter ce petit chef-d'oeuvre.

Toujours sans bruit, je referme le battant et, à pas de loup, je me dirige vers la plaque métallique voisine de la mienne. Je donne quelques coups discrets contre le judas. Des grattements derrière la petite lucarne... Mon collègue a compris. J'ouvre aussitôt le judas. Un visage apparaît, aux traits affreusement tuméfiés. Malgré la faible clarté, je conclus que l'homme doit être assez jeune, entre vingt et vingt-cinq ans. Il me fixe intensément quelques secondes, cherchant à deviner en moi l'ami ou l'ennemi. Avec des gestes, je tente de le rassurer et de lui faire comprendre que je suis également un prisonnier incarcéré dans le cachot voisin.

Il hoche lentement la tête, sourit faiblement.

Je bondis dans ma cellule et rapporte une orange que j'épluche à toute vitesse. Le jeune homme m'observe. Ses yeux sont agrandis par la convoitise. Je lui mets les morceaux dans la bouche. Ses mains boursoufflées, toutes déformées, ne peuvent lui être d'aucun secours.

Je voudrais bien lier plus étroitement connaissance, mais un bruit de clés tournant dans une serrure m'avertit qu'il est plus sage de regagner ma couchette. Je referme le judas et je m'éclipse dans ma cellule.

Le gardien ne semble avoir rien soupçonné. Dans un mauvais anglais, il m'invite à aller me laver et accomplir mes besoins naturels, ce que je me résigne à faire, non sans une certaine répulsion. Après m'être torturé l'esprit, tout le temps de mes ablutions, pour savoir où je pouvais poser les pieds, je regagne ma cellule, trempé comme un canard. Mon gardien qui, en comparaison des autres membres du personnel de cet asile de fous, me semble un ange de bonté, m'offre alors de m'allumer ma cigarette, puis il me salue d'un geste bref avant de me cloîtrer pour la nuit.

Le corps douloureux, étendu sur ma planche de fakir, j'inhale quelques bouffées dans l'attente du sommeil qui, je le devine, sera long à venir.

Il faut croire qu'il est venu tout de même, puisque je ne m'éveille qu'à l'aube, réveillé par le ronronnement d'un moteur qui me met les nerfs à fleur de peau. La clé qui tourne dans la serrure annonce le petit déjeuner. La porte s'ouvre sur mon geôlier de la veille qui - incroyable sollicitude - me donne ma maigre pitance de main à main. L'émerveillement grandit lorsque cet aimable sbire craque une allumette pour me donner du feu que j'accepte avec empressement. Un petit clin d'oeil et mon homme s'évapore aussi vite... en oubliant de m'enfermer.

Mon repas - si on peut parler de repas - est avalé en deux secondes: trois petites tranches de pain, un dé de margarine et de confiture, cinq olives et une tasse de thé aussi limpide que la vertu. Pour couronner ce joyau de la gastronomie, je me décide à croquer une pomme extraite du cadeau de Lise dans lequel j'ai pourtant décidé de piger avec modération. Tout à coup, des appels chuchotés m'attirent vers le corridor. Sans doute mon frère de détention qui se rappelle à mon bon souvenir.

Je me précipite et j'ouvre son judas. Le jeune homme est là, tout heureux de m'apercevoir. Grâce au peu d'hébreu que je connais, j'apprends qu'il se nomme Joseph et je comprends aussi le motif de son incarcération: voici huit jours, il a été surpris en possession d'un engin explosif aux abords d'une caserne de l'armée. J'en déduis facilement qu'il s'agit de ce que l'on appelle communément un «terroriste» ou encore un «fedayin». Puis je m'enquiers de sa faim. Il n'a reçu aucune nourriture solide ou liquide. Je lui cède volontiers la moitié des fruits qui me restent et je lui refile trois tasses d'eau qu'il engloutit dans un temps record. Avant que ma cigarette ne se consume complètement, je me hâte d'en allumer deux autres dont une pour mon compagnon d'infortune. Il sourit.

Depuis ce jour, une semaine s'est écoulée. Mon complaisant geôlier oublie toujours, avec une constance exemplaire, de m'enfermer à clé. Je sais que je risque les pires ennuis en allant voir Joseph, mais tant pis, j'ai pris l'habitude de ces petits conciliabules de part et d'autre du judas. Ils m'aident à me sentir un peu moins seul et puis j'ai l'impression d'être utile à quelqu'un qui est dans de plus sales draps que moi. Alors je me fiche bien qu'il m'ait été formellement interdit d'avoir le moindre contact avec Joseph, sous prétexte qu'il a tué plusieurs personnes avec une bombe; pour moi il a beau être un terroriste, il est avant tout un homme blessé qu'on affame, qu'on assoiffe, qu'on torture. Dans le fond, lui et moi, même si nous n'avons pas le même passé, nous sommes logés à la même enseigne et ça crée des liens, qu'on le veuille ou non.

L'autre jour, alors qu'il me questionnait sur le motif de mon incarcération, je lui ai tout raconté, l'histoire des malheureuses lettres, le traitement que j'avais subi depuis mon arrestation. Joseph n'a pas paru surpris. Il m'a dit qu'il fallait s'attendre à tout des services de sécurité de ce pays, qu'ils étaient tous autant de dangereux maniaques et donc que la guerre entreprise par ses frères contre l'État israélien était une guerre juste. Il m'a confié aussi qu'il serait sans doute condamné à vie. Il serait ensuite transféré à la prison de Tulkarem, un pénitencier de sinistre réputation uniquement réservé aux Arabes fedayins. La seule pensée d'y être interné le glace d'effroi. Il possède des informations de source sûre au sujet de méthodes barbares d'extermination dont ses frères sont les victimes dans ce lieu maudit et il a la quasi-certitude qu'il n'en ressortira pas vivant. Son unique consolation est de retrouver peut-être son frère, incarcéré lui aussi à Tulkarem. Joseph n'a plus de nouvelles de lui depuis des mois.

Peut-être bien, dans le fond, que ces entrevues avec mon jeune confrère achèvent de me saper complètement le moral, même si elles arrivent à me distraire de ma solitude. En tout cas, côté moral, ça devient de plus en plus défaillant. L'état d'incertitude dans lequel on me laisse croupir depuis sept jours y est sans doute aussi pour quelque chose. Je crois bien que je préfèrerais être condamné à avoir sur-le-champ une main tranchée plutôt que de vivre avec cette épée de Damoclès suspendue en permanence au-dessus de ma tête. Bon Dieu, qu'est-ce qu'ils vont faire de moi? Inutile, bien sûr, de demander des précisions aux marionnettes en uniforme qui passent dans le couloir. Inutile aussi de leur répéter que je suis en train de tomber carrément malade à cause de la malnutrition (la ration quotidienne ne dépasse pas les mille calories) et de l'air humide et étouffant, jamais renouvelé. Souvent, j'observe par le grillage de la fenêtre de ma cellule les allées et venues presque incessantes des policiers poussant ou traînant brutalement des hommes, des adolescents et parfois même des enfants à peine âgés de dix à douze ans. Ces visions me hantent et je ne peux m'empêcher d'établir un rapprochement entre les méthodes carcérales utilisées par ces policiers israéliens et celles qu'adoptaient les nazis dans certains camps allemands de la Deuxième Guerre mondiale. Rapprochement effarant que j'essaye en vain de chasser de mon esprit.

Enfin, l'autre soir, grâce à la complicité d'un garde d'origine française sur lequel j'avais exercé d'inlassables pressions, j'ai obtenu gain de cause: un médecin est venu me voir dans ma cellule, mais quel médecin!

Ce digne disciple d'Hippocrate n'a même pas pris la peine de m'examiner. Et puis quoi encore? Je ne croyais tout de même pas qu'il allait me chouchouter! La prescription fut vite établie: un cachet d'aspirine, quelques injures et la menace du *sinok* (sorte d'oubliette digne des temps féodaux) si j'ai l'audace de continuer de me plaindre et de le déranger pour rien. Je venais de contempler un médecin maudit.

J'eus au moins une petite consolation: après le départ du prétendu «docteur», mon gardien favori - celui-là même qui oublie régulièrement de m'enfermer à clé - me remit un somnifère puissant tout en me faisant promettre de ne pas le trahir. Je lui serrai les mains avec gratitude. Grâce à lui, j'obtenais le lendemain un autre cachet d'aspirine pour Joseph.

Mais tous les gardiens ne sont pas comme celui-là, il est plutôt une exception dans son genre. Pour preuve, voilà ce qui m'est arrivé, pas plus tard qu'hier matin: j'achevais de prendre ma douche, les pieds dans ce que vous savez. Lassé d'être dans l'impossibilité de m'éponger le corps, j'interpelai un gardien dans l'espoir - ô combien naïf - de remédier à cet inconvénient. J'aurais mieux fait de me taire. Ma requête déclenche aussitôt en lui une espèce de folie furieuse. Voilà qu'il appelle un complice à la rescousse et ils se mettent tous les deux à me taper dessus avec une sorte de joie imbécile et sauvage, jusqu'à ce que je m'étale sur le sol parmi les feuilles de vieux journaux tartinées d'excréments.

Attention mesdames, messieurs, le spectacle n'est pas terminé! Bien voyons, c'est pas tous les jours qu'on peut s'amuser, hein? Mon duo de sadiques me fait comprendre que je n'ai qu'à m'essuyer avec les journaux en question et, comme je n'ai pas l'air de saisir assez vite, ils me tabassent un peu plus, histoire que je me rentre bien dans la tête que c'est un ordre... à moins que je préfère me retrouver dans un *sinok*? À moi de choisir: le caca ou l'oubliette.

Que vouliez-vous que je fasse? Je me suis exécuté sous l'oeil égrillard de mes deux ordures qui avaient l'air se délecter drôlement du spectacle.

Ajoutez à cela les petis tracas quotidiens - l'interdiction de se raser, jamais de savon et, durant les heures de nuit, le choix de satisfaire ses besoins naturels sur le sol ou de se contenir jusqu'au matin - et vous aurez une petite idée de l'hygiène qui règne dans ce charmant établissement. Tout cela, sans compter l'irruption fréquente - et toujours imprévue - des agents de sécurité qui prennent un malin plaisir à venir vous tourmenter le jour ou même - et surtout - pendant votre misérable sommeil. Bien sûr, je dois convenir que les interrogatoires que j'ai subis les derniers jours n'ont pas été aussi brutaux que ceux qui avaient suivi mon arrivée ici. Mais ils ont beau avoir adopté la manière «douce», je sais que, s'ils n'obtiennent rien de cette façon-là - et ils n'obtiendront rien, pour cause! - ils recommenceront à me tabasser. Demain ou après-demain, aujourd'hui peut-être...

Justement, ce matin, la clé tourne dans la serrure. Ce n'est pourtant pas l'heure des repas. Sans doute mon quartette de tourmenteurs qui ont décidé d'opter pour la manière forte. Mais non, c'est incroyable, c'est Lise! Et voilà que, sous le coup de l'émotion, je tombe carrément en pamoison! Quand je reprends conscience, j'entends les hurlements de Lise. Mon évanouissement l'a complètement prise de panique et elle est en train de cracher son dégoût à la face d'un officier. D'après ce que je comprends, il a refusé d'appeler le médecin, mais Lise tient bon; elle va même jusqu'à le menacer de le dénoncer, lui et ses semblables, en première page des journaux occidentaux. Sa colère n'est pas sans effet: une aspirine m'est tendue et on me promet une sortie d'une trentaine de minutes dans la cour promenade; le tout est accordé comme un immense et insigne privilège.

La suite de mon entretien avec Lise s'est déroulée comme dans un rêve. J'ai à peine eu le temps de la serrer dans mes bras qu'un des sbires est venu nous annoncer que les minutes imparties étaient écoulées. Lise a tout de même réussi à me faire passer un petit sac de fruits, un savon, une brosse à dents, un tube de dentifrice, du shampoing, un chandail, un short et une serviette de bain. Elle m'a confié qu'elle aurait bien voulu me donner aussi quelques livres, du papier, des crayons et de l'aspirine, mais le colis avait été inspecté à l'entrée et ces objets, estimés dangereux, avaient été confisqués. Je l'ai consolée en lui affirmant que ce qu'elle me laissait représentait pour moi un inestimable trésor. Ce qui était vrai.

Lise est partie avec un dernier sourire brave, après m'avoir assuré pour la centième fois que tout allait s'arranger, qu'il fallait avoir confiance. Y croit-elle seulement elle-même? Je lui ai répondu que je partageais sa confiance, que je gardais mon optimisme et mon inébranlable sens de l'humour. Ce qui n'était pas tout à fait vrai.

Quelques heures après son départ, j'ai effectivement obtenu l'autorisation d'aller respirer l'air du dehors dans la cour promenade. Dès les premiers pas, je me suis senti tout étourdi. Je marchais comme un drogué. Le soleil s'était couché et j'avais l'impression de nager péniblement tout au fond d'une fosse, avec le poids de la nuit sur mes épaules. C'était plus qu'une impression. Cette cour était vraiment une fosse, un cul-de-sac sans issue avec ses quatre murs gigantesques, prolongés par un tissage serré de fil de fer barbelé qui semblait s'élever jusqu'au ciel. Bien sûr, pas d'espoir d'évasion. D'ailleurs les gardes qui m'encadraient veillaient au grain. Tout le temps de ma promenade dans ce romantique jardin, je fus contraint de marcher au centre de la cour; interdiction formelle de longer les muts. Qu'est-ce qu'ils craignaient? Que j'appelle ma bonne marraine la fée pour qu'elle me transforme *subito presto* en lézard?

Par delà la barrière de béton, les bruits de la ville me parvenaient: des vrombissements de moteurs de voitures, des voix, d'autres sons que je n'arrivais pas à identifier; tout cela n'était qu'un murmure, mais ce fouillis de bruits étouffés s'amplifiait dans mon esprit, évoquait des images de paix, de joie simple, quotidienne, de liberté. Alors c'est moi qui ai demandé à regagner mon cachot. Le temps qui m'était imparti n'était même pas entièrement écoulé, mais je m'en moquais. Je voulais rentrer. Les bruits de la vie du dehors me faisaient encore plus mal que ma solitude.

Une nouvelle nuit, une nouvelle aube. J'ignore encore que ce jour sera le dernier que j'aurai à vivre à Patah-Tikwa. D'ailleurs, on me le dirait que je ne le croirais pas. On semble m'avoir carrément oublié. Tout ce que je sais, c'est que mon dossier a été confié à un autre policier en civil, un certain Chabann. J'en conclus donc que mon sort dépend de ce monsieur qui n'a pas l'air pressé de se montrer. Mais voilà qu'aujourd'hui ce mystérieux bonhomme a décidé de faire tomber le voile. Peu après le petit déjeuner - qui n'a, faut-il le rappeler, du petit déjeuner que le nom - deux gardes viennent me chercher pour m'emmener dans la pièce réservée aux interrogatoires. Inutile de préciser que l'ex-charmant boudoir où j'ai reçu Lise a été retransformé et qu'il a repris son apparence première de chambre des tortures. Assis derrière la table, voici donc ce cher ami Chabann. Dès le premier coup d'oeil, le personnage anéantit tous mes espoirs. Nul doute que cet humanoïde doit résulter du croisement d'un humain et d'une couleuvre. Je le détaille non sans une certaine répulsion: petit, lèvres charnues, sourcils épais, regard louvoyant, fuyant et hypocrite, bref le type n'a rien pour plaire. À côté de lui, posée sur la table, la fatidique mallette noire.

Sa voix doucereuse, mielleuse, est admirablement bien assortie au personnage. Si je conservais un espoir de liberté, il se charge de le tuer dans l'oeuf. Avec un sourire exaspérant, mon interlocuteur m'annonce qu'il est très confiant, mais alors vraiment très confiant.

— L'enquête se poursuit, Monsieur Durant, répète-t-il en agitant son petit corps sur sa chaise, béat de satisfaction. Et elle va aboutir! Les recherches sur vos activités criminelles seront longues, mais positives!

Si je ne me retenais pas, je lui donnerais un coup de poing en pleine face. La couleuvre a deviné ma révolte contenue! Ça a l'air de l'amuser beaucoup. Toujours souriant, il m'annonce qu'il prévoit me transférer à Dimona, une petite prison située dans le désert du Néguev. Cet établissement, a-t-il la complaisance de m'expliquer, convient mieux à un individu dangereux comme moi. Impossible de lui faire comprendre, à lui pas plus qu'aux autres, que je suis innocent et qu'on n'incarcère pas un être humain pour deux malheureuses lettres finalement bien inoffensives. Nouveau sourire de l'agent Chabann. Mais oui, mais oui, cause toujours mon lapin... Allons, allons, comme si tout le monde ne savait pas que je suis un terroriste, un ennemi juré d'Israël! J'ai bien envie de hurler au visage de cet avorton que, si je ne l'étais pas, je suis en train de le devenir par leurs bons soins! Je me retiens à temps. Dieu sait quelle confirmation de mes prétendus crimes il aurait trouvée dans une répartie comme celle-là. Alors force m'est de me taire. Une fois seul dans ma cellule, c'est plus fort que moi, je me mets à marteler les murs avec mes poings. Ce n'est peut-être pas très intelligent ni très efficace, mais au moins ça soulage.

Étrange personnage que ce monsieur Chabann. L'après-midi de la même journée, voilà qu'il me convoque une autre fois. Je m'interroge sur les motifs de cette deuxième entrevue, j'ose une seconde espérer qu'un nouvel élément jouant en ma faveur vient d'être ajouté à mon dossier. Je pourrais tout aussi bien penser qu'ils ont décidé de rejouer au petit jeu des questions et des réponses assorties de coups bien dosés, mais cette éventualité-là, je me refuse à l'envisager, histoire de garder le moral. Ce n'est apparemment ni l'un ni l'autre. Avec son sempiternel sourire qui me donne des boutons, mon humanoïde sort une feuille de papier de sa mallette et, le plus calmement du monde, se met à écrire quelques lignes en arabe. Puis il me prie d'admirer sa belle calligraphie.

— Ce n'est pas tout, ajoute-t-il, très fier de lui, je parle cette langue à la perfection. En fait, je parle, j'écris, je pense, je dors, je mange et je rêve en arabe. Voyez-vous, je suis israélien, mais égyptien d'origine.

Et sur ces dernières confidences, il me renvoie à mes méditations. Je reste plutôt perplexe. L'agent Chabann ne m'a pas fait venir dans son bureau uniquement pour me raconter sa vie, c'est sûr, encore moins pour me confier ses rêves que, soit dit en passant, je n'ai aucune envie, mais alors vraiment aucune envie de partager. Il devait s'agir sans aucune doute d'une ruse. Qu'espérait-il? Que je lui dise à mon tour que je connaissais parfaitement l'arabe, vu que l'arabe était ma langue de prédilection, preuve donc que j'avais épousé la cause fedayin? En ce cas, le petit Chabann avait été déçu. Ce n'est pas ma faute, je n'ai jamais été tellement doué pour les langues.

Deux heures plus tard, nouvelle convocation à la chambre des tortures. La couleuvre est là et aussi la dent de métal flanquée de l'homme qui apporta les tasses de café lors de la première visite de Lise. Et c'est reparti dans la meilleure tradition! Fort heureusement, l'entrevue est assez brève. Le trio n'a pas l'air en forme, aujourd'hui. Il s'essouffle vite. Tant mieux pour moi. Quelques sorties violentes - mais heureusement verbales - au cours desquelles, fatalement, le titre d'espion m'est octroyé avec, en guise de dessert, quelques qualificatifs orduriers; ces messieurs m'annoncent ensuite en conclusion que, le soir même, je serai transféré au poste de police de Beer-Sheva.

J'enregistre intérieurement qu'ils ont changé d'idée puisqu'ils ne parlent plus de m'envoyer à Dimona. Je ne sais pas encore à quel point je dois me réjouir de ce revirement. De fait, je devais apprendre plus tard de la bouche même de détenus qui y avaient séjourné, que j'aurais pu laisser ma peau dans ce lieu charmant, réputé pour ses conditions d'incarcération totalement inhumaines. De quoi vous flanquer des frissons «rétrospectifs».

Le lendemain matin, à l'heure fixée pour mon transfert, on m'accompagne au poste de garde. Et voilà qu'à ma grande surprise j'y retrouve Joseph. Nous comprenons tous les deux que nous allons être du même voyage. Mon ex-voisin m'interroge du regard. J'arrive à lui chuchoter à l'oreille le nom de la ville de Beer-Sheva, ce qui me vaut les hurlements du gardien et un sale coup entre les omoplates.

Quand les formalités de levée d'écrou sont terminées, deux officiers en uniforme s'amènent et, avant qu'on ait eu le temps de dire ouf, les voilà qui nous tombent royalement dessus. En un éclair - ces messieurs ont l'air très entraînés à ce petit jeu - mon pied droit et le pied gauche de Joseph sont reliés par une courte tige d'acier munie d'un carcan. Même chose pour nos poignets étroitement liés par une paire de menottes. Et en avant, par ici la sortie! Les deux officiers à carrure de lutteur nous poussent à travers le labyrinthe du bureau de police. Le trajet est interminable. Avec cet attelage de fer aux pieds, nous serions bien en peine de concourir pour le record olympique du dix milles mètres. Nous avançons donc, tant bien que mal. À chaque pas, le carcan torture nos chevilles. Celles de Joseph sont déjà en sang. Impossible de nous arrêter, ne serait-ce qu'une seconde. Nos lutteurs sont toujours derrière nous, pour nous rappeler que nous ne sommes pas là pour nous amuser.

Notre misérable duo débouche enfin dans la cour extérieure. Un trajet normal de trois minutes a nécessité une demi-heure. Une demi-heure de souffrance physique rapidement devenue intolérable avec en prime, sur notre passage, les insultes et les crachats d'une foule de fanatiques massés et qui nous auraient lynchés avec un plaisir non dissimulé.

Devant l'entrée, un fourgon cellulaire. Il faut encore attendre d'autres longues minutes, debout, les poignets et les chevilles en sang, avant d'avoir l'insigne privilège de pouvoir y monter. L'un des deux policiers prend place à l'arrière, l'autre - qui se nomme Chemtof, ainsi que je l'apprendrai plus tard -

s'installe au volant. Brusquement je remarque, assise à l'avant, aux côtés du chauffeur, une silhouette féminine. Que fait donc cette femme ici? Pourquoi nous accompagne-t-elle? Curiosité malsaine, maîtresse ou épouse légitime?

Le portail à peine franchi, nous débouchons au coeur de la ville. La circulation très dense et bruyante nous force à ralentir notre vitesse. Deux voitures de la police surmontées d'un clignotant bleu nous escortent, l'une à l'avant, l'autre à l'arrière. Il n'y a pas à dire, nous sommes ou très importants ou très dangereux pour bénéficier d'un tel luxe de sécurité.

À chaque arrêt aux feux rouges, notre convoi peu discret attire les badauds. J'ai alors la sale impression d'être un animal qu'on transfère d'un zoo à un autre. Joseph ne dit rien. Il doit avoir cette impression lui aussi, à moins qu'il ne pense à ses frères, à celui entre autres qui est peut-être mort depuis des mois à la prison de Turkarem. Quand le fourgon se remet à rouler, nous osons regarder dehors. Les terrasses des cafés, les vitrines inondées de lumière, l'animation des rues nous rappellent sournoisement que la vie existe encore. Pour les autres.

La chaleur commence à devenir suffocante à l'intérieur de notre autobus. Les deux glaces grillagées sont fermées et elles le resteront au nom de la sacro-sainte sécurité. La chaleur aidant, la soif devient de plus en plus insupportable. Je lorgne les énormes thermos dont se sont munies nos deux gardes et qui contiennent sans doute un liquide rafraîchissant. J'ai deviné juste. Utilisant le couvercle comme tasse, ils se désaltèrent goulûment sous nos yeux... sans bien sûr penser à nous en offrir. Un coup de coude de Joseph et un regard implorant de sa part me décident à quémander un peu d'eau.

Comme je m'y attendais (je commence à les connaître, ces salauds), l'officier assis à l'arrière refuse catégoriquement. Chemtof, irrité par nos voix, réclame le silence. Je réitère ma demande qu'il rejette d'un geste irrité. Rien à faire. Mais voilà que, pour la première fois, la femme mystérieuse prend la parole. Une vive altercation l'oppose à Chemtof et elle obtient gain de cause: un verre de jus de citon glacé m'est offert avec cette précision: «Pas pour l'Arabe: il boira plus tard!»

Joseph a compris, il détourne la tête, il n'ose plus me regarder. Pauvre vieux, pour qui tu me prends? Tu crois réellement que je vais appuyer cette mesquinerie? Je lui passe la moitié du liquide, l'oblige presque à l'absorber. Sa main sans force se pose doucement sur la mienne en signe de reconnaissance. Mon geste a été repéré par l'officier à l'arrière. Il se tourne vers nous, l'air menaçant, le revolver à la main. Je crains un moment qu'emporté par la colère, il nous abatte sur-le-champ comme des chiens. Mais est-ce la présence de l'inconnue? En tout cas, il se retient. Quelques heures plus tard, l'ambiance dans notre boîte d'acier sent toujours le meutre. Pendant ce temps, nous avons avalé des kilomètres, à demi morts de fatigue, sursautant au moindre mouvement de notre fou au revolver.

Enfin le paysage noyé dans les ténèbres s'illumine sous les feux électrique des premières maisons. Beer-Sheva. Notre prison ambulante s'arrête devant la façade du poste de police.

Nous ne sommes plus que quatre. Notre généreuse compagne a été déposée en ville. Je pense brusquement qu'elle est partie sans que j'aie pu lui dire merci.

Troisième partie

Beer-Sheva

CHAPITRE 6

À peine débarqués du fourgon, nous reprenons notre grotesque duo de crabes. Fort heureusement, vu l'heure tardive, rares sont les membres du personnel qui peuvent assister à notre numéro. Toutefois, pour ne pas déroger à la règle, deux dames exquises nous gratifient au passage d'insultes et de gestes obscènes, sous l'oeil amusé de quelques officiers fort satisfaits.

Notre marche de forçats s'arrête devant une porte métallique qui s'ouvre aussitôt. Des cris rauques nous invitent à franchir le seuil. Le local est mal éclairé, mais une chose est sûre: l'endroit dont les dimensions n'excédent pas trois mètres sur trois, est gentiment sinistre. Je jette un coup d'oeil derrière nous. Nos deux convoyeurs nous ont abandonnés et ils nous laissent entre bonnes mains, à en juger par le trio composant le comité de réception qui nous fait face.

Sur l'unique bureau en bois, j'ai la surprise d'apercevoir mes effets personnels confisqués au greffe de Patah-Tikwa.

Mais déjà, deux membres du triumvirat se dirigent en silence vers Joseph. En quelques instants, mon compagnon est délesté de ses fers et complètement dévêtu. Ses hardes sont inspectées de fond en comble jusque dans leurs moindres coutures, tandis qu'une espèce de vicieux tâtonne son corps nu à la recherche de ne je sais quoi.

À peine rhabillé, mon pauvre Joseph disparaît, entraîné par le sbire aux mains tâtonneuses. Ça va être mon tour, ce qui est loin de me réjouir, car le spectacle auquel je viens d'assister m'a déplu souverainement. Je suis bien décidé à leur faire connaître ma façon de penser, mais ils me laissent tranquille. Par quel miracle n'ai-je pas à subir l'humiliation du déshabillage? Je l'ignore. En revanche, tous mes biens personnels sont examinés un à un, avec une lenteur calculée. Ces crétins espèrent peut-être saper ma patience, me faire bondir hors de mes gonds pour avoir le plaisir de me tabasser. Ils en seront pour leurs frais. Imperturbable, durant trois longues heures, je supporte leurs bouffonneries imbéciles et cela, le plus calmement du monde. Mon indifférence semble les exaspérer de plus en plus. L'un des trois gardes s'approche de moi, le visage rouge comme une tomate. Il cale son poing sous mon menton en me traitant de sale *americani.* Aucune réaction de ma part. Je regarde ailleurs d'un air complètement distrait.

Déçus, mes trois anges gardiens m'empoignent et m'escortent tendrement le long de couloirs interminables. À ma droite, je peux apercevoir une cour promenade qui, dans le genre déprimant, n'a rien à envier à celle de Patah-Tikwa. Après quelques secondes de marche, les employés de la réception m'introduisent dans ma nouvelle cellule. Elle me paraît immense - du moins en comparaison avec celle où je logeais auparavant. Elle est meublée de six lits superposés et inoccupés. J'en déduis que je suis le seul locataire.

La lourde grille à barreaux d'acier se referme derrière moi. Ma première pensée est pour Joseph. Où l'ont-ils relégué? Avant de m'endormir sur ma planche de fakir, je songe à Lise, Lise qui n'est plus à cent kilomètres de moi, qui se trouve tout près, quelque part dans la ville grouillante, au-delà de ces hauts murs gris. Et sur cette dernière idée plutôt réconfortante, je sombre dans un sommeil lourd et sans rêves.

Je me réveille en sursaut avec des sensations bizarres sur le visage. J'entrouvre les yeux et j'ai aussitôt l'explication de ces étranges chatouillements: appelés «cochons de cave» (pour un pays où le porc est prohibé, quel paradoxe!), des coquerelles et autres espèces répugnantes ont décidé d'utiliser mon corps comme lieu de villégiature. Je me lève d'un bond et je me secoue avec énergie. J'en ai même dans les poches, dans les oreilles, jusque dans les cheveux. Mais je sais déjà que mon répit est provisoire: ma nouvelle cellule est complètement infestée de ces sales bestioles. Je n'ai qu'à me coucher sur mon lit pour qu'aussitôt elles remontent à l'assaut. En temps normal, je n'éprouve aucune répulsion maladive des cancrelats et de leurs congénères du même acabit, mais ici leur grand nombre, leur taille et leur diversité provoquent en moi un frisson de dégoût. Bref, cet hôtel si bien fréquenté me promet quelques nuits agitées.

Inutile de vous dire que j'ai pas le goût de me recoucher pour l'instant. J'en profite pour faire une rapide inspection de ma cellule, histoire de passer le temps. Il n'y a pas là non plus de quoi me remonter le moral. Les murs qui m'entourent, complètement fissurés, suintent comme un fond de cale. Quant au sol en ciment, il est aussi disloqué qu'après un bombardement. Une innovation: j'ai mon cabinet avec douche, mais quel cabinet! La toilette est totalement obstruée, jonchée de débris, de poussière collante et de vieux journaux englués d'excréments; elle exhale des effluves nauséabonds à vous en décomposer les narines. Un robinet à la pression flaiblarde laisse couler selon son bon plaisir une eau tiède et jaunâtre dans un évier tellement crasseux qu'un décapant à l'acide, même utilisé en doses généreuses, aurait peine à lui rendre son aspect original - en supposant qu'il en ait déjà eu un. Précisons enfin que ce délicat bac à eau sert aussi de refuge à une colonie grouillante de bestioles.

Au dehors, l'aube se lève. Je n'ai pas fermé l'oeil. Je vacille, assis sur mon lit, les fesses en compote, tout en surveillant mes hôtes à six pattes qui courent sur le sol. Brusquement, une voix qui hurle me fait tressaillir:

— *Adoni, Adoni!*

Comprenant que je suis interpellé (*Adoni* signifie «Monsieur» en hébreu), je m'avance vers la porte. Mon déjeuner m'est tendu à travers les barreaux. Je m'en saisis et vais reprendre place sur le bord de mon lit de torture. Le menu toujours aussi maigre n'a rien pour exciter l'appétit. Je décide, avant de l'avaler, d'aller faire un brin de toilette. J'abandonne mon assiette sur le lit et je me dirige vers ce qui, autrefois peut-être, portait le nom d'évier. Je ne sais pas s'il vous est déjà arrivé de vous laver tout en vous bouchant le nez, mais c'est assez difficile. J'achève de m'essuyer quand mon regard tombe sur l'assiette. Ce que je vois me donne envie de vomir.

Le contenu de mon écuelle est la proie d'une attaque en règle de centaines de fourmis, coquerelles et autres coreligionnaires. Cette fois, ça dépasse les bornes. Je saisis du bout des doigts ce repas pour fourmilier. J'interpelle le garde et lui mets sous le nez l'oeuvre de mes codétenus. Mais je rêve en couleurs si j'espère le toucher. La vue de cette saloperie ne l'émeut pas le moins du monde. Il a même l'air scandalisé que je le dérange pour ce petit détail sans importance. Il finit par me conseiller d'écarter les bestioles importunes et d'apprécier ma nourriture avec gratitude, car l'État hébreux est déjà assez bon de me nourrir.

Il me reste donc deux solutions: surmonter mon écoeurement et avaler le tout, l'esprit ailleurs, ou utiliser cette pâtée frémissante pour colmater les joints des murs.

Quatre jours se sont écoulés depuis mon arrivée à Beer-Sheva, quatre jours durant lesquels j'ai dû vivre dans cette infecte cellule. J'ai appris à me nourrir debout, l'assiette à la hauteur du menton dans l'espoir de ne pas être attaqué par ce petit peuple affamé, à ne dormir que d'un oeil, toujours sur le qui-vive. Durant la journée, j'essaye de tuer le temps en regardant à travers les barreaux de ma cage. Comme à Patah-Tikwa, j'ai vue sur la cour promenade avec cette différence que celle-ci est nettement plus étroite, si étroite que la cinquantaine de détenus qui y circulent à heures fixes sont astreints à un itinéraire précis pour éviter de se heurter. Sur l'un des murs, quatre entrées de cellules munies chacune d'une imposante porte à barreaux en acier semblable à la mienne. En face, une porte métallique dissimulant une infirmerie factice et le «bureau d'accueil». Sur la même façade, une autre porte donne accès à ce que l'on appelle pompeusement le réfectoire. Enfin, dominant ce charmant ensemble, à quelques mètres au-dessus du tissage des barbelés, trône le mirador où un gardien armé exerce sa surveillance jour et nuit.

Parfois, les prisonniers viennent me dévisager à travers les barreaux. Ils s'agglutinent par dizaines, me fixent avec une sorte de curiosité avide qui me met mal à l'aise. Puis ils reprennent leur marche monotone, sans m'adresser une seule parole ni le moindre signe d'amitié. Je conclus que ce comportement, plutôt inhabituel dans une prison, est dû à la loi du silence appliquée à ma personne. Les geôliers les ont sans doute menacés de je ne sais quoi s'ils m'adressaient la parole. On ne sait jamais, des fois que je contaminerais les esprits par ma prétendue propagande antisioniste?

Avant-hier pourtant, au deuxième matin de mon séjour dans ce cul de basse-fosse, un détenu a décidé de braver l'interdiction. Il s'exprimait très bien en français. Il m'a dit qu'il s'appelait Maurice et qu'il était originaire d'Eilat, sur la mer Rouge. Il était incarcéré pour meurtre. Il avait été impliqué dans un règlement de comptes de la petite pègre locale. Mais mon homme était confiant. Il avait des relations et les gardiens le savaient, ils avaient même un peu peur de lui et puis il serait bientôt libre: les juges ne pourraient que l'acquitter à son procès vu qu'il possédait l'avocat le plus compétent du pays, très cher mais influent. Encore un qui avait le bras long, c'est bien utile les relations, hein, des fois?... Puis ce fut mon tour de lui expliquer les raisons de ma détention.

— Ne t'en fais pas, me répliqua-t-il, contacte ton ambassade et prends un bon avocat, y a que ça qui compte, je te dis! Et puis n'oublie pas ce petit conseil: relève toujours la tête devant les chiens qui hurlent!

Et sur ce, furtivement, il me tendit un paquet de cigarettes à travers les barreaux et poursuivit sa promenade en sifflotant.

Ce matin-là, je suis demeuré pensif de longues heures. L'optimisme de Maurice avait déteint sur moi. Bien sûr, l'ambassade, un avocat, c'était la solution! Mais comment contacter l'ambassade? Il me restait une seule planche de salut: Lise. Encore fallait-il qu'on veuille bien lui révéler ma présence ici. Dans le cas contraire, je risquais de me retrouver sans défenseur devant une parodie de tribunal qui s'empresserait de me condamner à plusieurs années de détention. Jugement sans appel, bien sûr; il ne fallait pas croire au Père Noël.

Hier, au matin du deuxième jour, un gardien est venu me chercher. Le petit agent Chabann m'attendait dans une pièce minuscule ressemblant à un laboratoire de photographie. Un spécialiste de l'identité a pris des photos de moi sous tous les angles, des pieds à la tête. On m'a immatriculé comme un bagnard et j'ai dû imprimer mes empreintes digitales sur un nombre invraisemblable de documents. Une fois la séance terminée, ce bon Monsieur Chabann a eu ce petit mot réconfortant: «Vous comprenez, Monsieur Durant, ces formalités sont toujours nécessaires en prévision d'une détention de longue durée...»

Et cette ordure s'est payé le luxe de sourire, tout heureux d'avoir craché son venin. Je suis revenu dans ma cellule complètement désespéré. L'optimisme de la veille avait fondu comme neige au soleil. Je ne sortirais d'ici que dans de longues années, peut-être jamais. Pour couronner le tout, j'ai senti à ce moment précis que mon petit monsieur égyptien s'acharnait à ma perte avec un plaisir tout particulier. Mais pourquoi moi? Et dans quel but?

Le temps passe avec une lenteur exaspérante. Quatre jours aujourd'hui que je suis ici et ils me paraissent une éternité. Je suis fatigué, complètement à bout, désemparé. J'ai maigri d'au moins dix kilos; une barbe hirsute couvre mon visage; quant à mes ongles de pieds et de mains, ils pourraient rendre jaloux un mandarin chinois. Pour combler ma solitude, j'en suis venu à parler tout seul dans ma cellule. Je converse avec des êtres imaginaires ou simplement avec le robinet. Minute après minute, je dois lutter contre un engourdissement de l'esprit qui se révèle encore pire que les douleurs corporelles. À un certain moment, je me suis même surpris à parler à une énorme fourmi. J'étais son ami, je l'entretenais le plus sérieusement du monde de mes problèmes et elle, en mauvaise éduquée qu'elle était, elle gardait le silence absolu. Je l'ai suivie à la trace dans tous ses déplacements jusqu'à ce que, lassée de mes assiduités, elle se faufile sous la porte et aille s'égarer dans la cour. Elle était libre, elle, au moins.

À d'autres moments, j'ai eu envie de me péter la tête contre les murs de mon trou à rats. Je ne peux même plus supporter les regards des autres détenus posés sur moi comme sur une bête curieuse, aux heures de promenade. Je n'ai même pas la consolation de me dire que je vais craquer et qu'ainsi les conditions de ma détention seront plus humaines, pour la bonne raison que je n'ai rien à avouer, rien! Quand comprendront-ils que je n'ai rien à dire, rien du tout? Parfois, je crois que je vais devenir fou. Dans ces moments-là, je me raccroche à la pensée de Lise, au souvenir de son sourire, de son visage, mais cela me fait encore plus mal et de nouveau tout bascule dans le gouffre où je suis tombé et dont je ne sortirai peut-être jamais.

Fort heureusement, le matin du troisième jour, j'ai réussi à attirer l'attention d'un gardien, semble-t-il plus humain que les autres. Durant ses tours de garde, il traîne sa chaise non loin de ma porte. Aujourd'hui, il me semble qu'il a osé s'approcher encore un peu plus. Je m'enhardis à lui demander du feu. Il s'exécute aussitôt, mais très vite il se rassied de peur d'être aperçu par les autres gardiens ou par le policier armé, en faction au haut du mirador.

Un court silence. Puis, toujours immobile sur sa chaise, l'homme me demande en français, sans me regarder: «On dit que vous êtes un espion. C'est vrai?»

Je lui débite ce que j'ai déjà conté à Maurice. Le gardien chuchote, toujours sans détourner la tête: «Je vous crois.»

C'est peut-être stupide, mais je lui sauterais au cou en signe de reconnaissance! J'enchaîne aussitôt en lui demandant des précisions sur l'agent Chabann et sur la possibilité de contacter Lise et un avocat.

Accroupi sur le sol, les mains agrippées aux barreaux, je bois littéralement ses paroles. Depuis combien de temps au juste ne m'a-t-on pas parlé ainsi comme on parle à un être humain? Mon nouvel ami m'a appris trois choses. La première confirme ce que je pensais: l'agent Chabann, l'officier chargé d'enquêter sur moi, est connu au poste de police comme un homme terriblement dangereux et pervers; je dois m'en méfier comme de la peste. La deuxième me donne un peu d'espoir: mon gardien humaniste me prie de lui donner l'adresse de mon amie Lise; on peut donc penser qu'il essayera de la contacter. La troisième enfin a trait à l'avocat: il me promet d'y réfléchir.

Je lui ai appris mon nom et il m'a dit le sien: Moshé. Je ne veux pas qu'il parte. Je souhaiterais que notre conversation dure tout le jour, puis la nuit entière. Je prends le premier sujet qui me passe par l'esprit, par exemple ces deux énormes matrones en uniforme, une rouquine et une autre aux cheveux noirs, qui se mêlent à leurs collègues masculins dans la cour promenade. Le regard toujours fixé sur un point vague devant lui, Moshé m'explique que ces deux amazones ont normalement la responsabilité de la cellule des femmes, cellule qui n'est autre que la mienne! En l'absence de détenues de sexe féminin, elles remplacent des mâles en congé, non sans un certain empressement d'ailleurs: la jouissance morbide d'ouvrir et de fermer les portes derrière lesquelles croupissent des hommes les plus souvent à moitié nus contribue pour beaucoup, semble-t-il, à leur zèle intempestif. Mon premier réflexe est donc de me féliciter de n'être pas né femme. Je ne me vois pas sous la coupe de ces mégères, surtout celle à la chevelure carotte avec son faciès de boxeur et sa démarche de gorille. Chaque fois que j'aperçois cet aimable bulldozer, j'en viens à me réjouir que ma porte soit blindée, sinon la petite mignonne aurait tôt fait de la défoncer comme un ouragan.

L'heure de la promenade est terminée. Moshé se lève. Regardant toujours droit devant lui, il me réclame la plus grande discrétion sur notre entretien. Je ne dois en parler à quiconque. Quant au reste, il va voir ce qu'il peut faire pour me venir en aide.

Parler à Moshé m'a fait beaucoup de bien. Cette nuit-là, j'arrive presque à oublier mes coquerelles et leurs consoeurs et je parviens à dormir deux heures d'affilée. Un vrai record!

L'après-midi du quatrième jour, je reçois une excellente, une merveilleuse nouvelle: un homme en civil pénètre dans ma cellule, m'annonce que mon amie est ici, au bureau du deuxième étage.

— Vous êtes autorisé à la voir vingt minutes. Restez calme et suivez-moi!

Le suivre, je ne demande pas mieux, je me mettrais même à voler si j'avais des ailes. Quant à rester calme, c'est une autre affaire. Et puis, qu'est-ce que Lise va penser de mon état physique? Mais la joie est plus forte et, avant de pénétrer dans la pièce où mon amie m'attend, je redresse la tête, soudain fier comme un paon. Lise est là, assise derrière un bureau. Elle n'est pas seule. Monsieur Levi, le policier auquel je devais mes cigarettes lors de mon arrestation, est là lui aussi, assis auprès d'elle. Souriant, il me fait signe d'approcher. Je n'ai pas fait un pas que Lise se jette dans mes bras. L'odeur de ses cheveux, de son parfum, me fait un instant tout oublier. Mais elle me presse déjà de questions. Mon état physique, qui ne s'est pas amélioré depuis sa dernière visite, l'épouvante. J'essaye de ne pas lui en dire trop sur mes conditions de détention, pour ne pas ajouter à ses tracas. Mais elle n'est pas dupe et je dois lui concéder au moins une partie de la vérité. Elle fond en larmes et je m'en veux d'avoir trop parlé.

— Pardonne-moi, Lise, je pense avoir exagéré. Après tout, c'est supportable dans l'ensemble. Tu sais ce que c'est: les hommes, ça aime toujours se faire plaindre un peu.

Pieux démenti, mais totalement inutile.

— Menteur! me lance-t-elle en hoquetant, si tu te voyais! Tu n'es plus que l'ombre de toi-même et tu veux me faire croire que tu es dorloté ici! ...Monsieur Levi, dites-moi, comment est-il traité?

Le policier est visiblement mal à l'aise et ne sait pas trop quoi répondre.

— Écoutez, Mademoiselle, réplique-t-il enfin, je comprends votre désarroi et j'admire aussi la force morale de votre ami mais... mais que voulez-vous, il m'est difficile d'intervenir, je ne suis pas chargé du dossier de Monsieur Durant. Par contre, j'ai une certaine autorité dans ce bureau de police et je vous promets, au nom de l'enfant que vous portez, que je vais tenter d'améliorer son sort tant qu'il restera ici et ce, pas plus tard qu'aujourd'hui. Bien, je vous laisse seuls quelques minutes...

Avant de sortir, se voulant humoriste sans doute, il ajoute: «Ne vous sauvez pas!»

Lise et moi, nous embrassons longuement. Elle paraît réconfortée par les paroles de notre protecteur. Je la regarde éperdument, comme si je voulais m'emplir les yeux de son image pour qu'elle reste avec moi tout à l'heure, lorsque j'aurai rejoint ma cellule répugnante. Jamais elle ne m'a semblé aussi belle; elle est resplendissante dans sa robe d'été aux couleurs vives. De nouveau, je la serre contre moi.

— Ne t'en fais pas, chérie, tout cela prendra bien fin un jour!

C'est maintenant à son tour de répondre à mes questions, et d'abord: comment a-t-elle appris mon retour à Beer-Sheva?

Alors, elle me raconte tout: la visite qu'elle a reçue de Monsieur Levi, la veille au soir. Il venait lui apprendre mon transfert, soucieux de lui éviter un déplacement inutile à Patah-Tikwa. Et la famille Luzon, les a-t-elle mis au courant? Non, pas pour l'instant, elle ne s'en sent pas encore le courage. Mais il y a autre chose, autre chose qu'elle hésite à me révéler. Je la supplie de ne rien me cacher. Elle s'y résigne, la mort dans l'âme.

— Eh bien, il y a cinq jours, je me suis évanouie en pleine rue à un arrêt d'autobus, j'ai même eu peur pour notre bébé... Bien sûr, c'était à cause de la chaleur, mais aussi... Enfin voilà, la veille de ton retour ici, dans le corridor qui mène à ce bureau où nous nous trouvons, un homme de petite taille m'a interpellée par mon nom et...

— Et ensuite?

— Il... enfin il m'a dit qu'il était chargé de ton dossier et il m'a presque ordonné de quitter Israël, de rentrer tout de suite au Canada et de refaire ma vie avec un autre homme. D'après lui... Jean-Louis, c'est terrible de devoir te dire ça!

— Non, continue, dis-moi tout.

— D'après lui, tu n'as aucune chance d'être libéré avant dix ou quinze ans.

Un bref silence. Il ne faut pas que je paraisse accablé, surtout pas devant Lise! Je prends ses mains entre les miennes, je les serre très fort.

— Il ne faut pas écouter cet homme, c'est un fou dangereux. J'ai ma petite idée sur son identité, il s'appelle Chabann. Méfie-toi de lui!

Lise sourit faiblement. Elle veut faire la brave elle aussi.

— C'est vrai, il doit exagérer... J'en ai parlé à Monsieur Levi et il m'a un peu rassurée sur ton avenir...

— Ah, tu vois bien!

Maintenant que nous voilà sur la voie de l'optimisme, autant ne pas la quitter. Alors que j'interroge Lise sur la possibilité de contacter l'ambassade, Monsieur Levi réapparaît en s'excusant.

— Je suis navré, mais je vous ai accordé le temps maximum...

Et comme s'il avait deviné nos pensées, il nous annonce qu'un représentant de l'ambassade du Canada désire m'entretenir et qu'il viendra ici demain matin, vendredi.

Lise et moi, nous nous regardons sans comprendre, ébahis par cette première bonne nouvelle.

— Toutefois, ajoute Monsieur Levi, demain matin également vous devrez vous présenter en ville devant un juge qui statuera sur votre sort. Vous rencontrerez l'agent de l'ambassade à votre retour du tribunal.

J'ai le coeur un peu plus léger. Lise, qui a retrouvé toute son énergie, réussit à quêter pour moi du linge propre, des cigarettes, des effets de toilette, des livres et quelques gâteries. Brusquement, elle lâche un cri.

— C'est lui!

Et elle pointe du doigt le petit homme qui vient d'entrer. Plus silencieux qu'une ombre et muet comme une carpe, l'agent Chabann s'approche du bureau, y dépose un passeport.

— Ceci appartient à Mademoiselle, précise-t-il d'une voix feutrée avant de tourner les talons.

L'apparition de cette couleuvre a suffi pour que notre fragile optimisme en prenne un sacré coup. Encore une fois, Monsieur Levi intervient.

— Ne vous inquiétez pas, Mademoiselle, je vais discuter un peu avec ce monsieur.

La séparation est moins douloureuse que les précédentes. Nous savons que nous allons nous revoir demain, lors de l'entretien avec le consul. Et puis, depuis quelques instants, nous nous sommes remis à espérer et ça, c'est déjà un cadeau inappréciable.

J'ai à peine quitté le bureau que l'on m'annonce une autre bonne nouvelle: je suis autorisé à aller me dégourdir les jambes une petite demi-heure dans la cour.

À part le cadre, toujours aussi peu enchanteur, la promenade n'est pas désagréable. Quelques détenus, poussés par la curiosité, rôdent autour de moi, me regardent de biais en hésitant, visiblement désireux d'entamer la conversation. Serais-je donc devenu brusquement à leurs yeux autre chose qu'une bête de zoo? Et pourtant - incroyable mais vrai - ce sont les deux gardiens en service qui se décident à ouvrir le dialogue les premiers.

Je comprends vite que, si je les intéresse tant, c'est parce que je suis le seul représentant du lointain Canada qui pour eux symbolise une sorte d'Eldorado enneigé et inaccessible. Volontiers, j'éclaire leur lanterne et les renseigne abondamment sur mon pays. Je suis même intarissable. Ils boivent mes paroles, extasiés, parfois incrédules. S'ils savaient comme je suis heureux de converser avec d'autres êtres humains qui m'écoutent et ne songent pas à chaque mot à m'insulter ou à me cracher au visage! Il me semble que je pourrais continuer à discourir ainsi pendant des heures et des heures sans me lasser et qu'à force de m'étourdir de paroles, je parviendrais à oublier le cadre de la prison, à me croire par exemple chez nous, dans notre petit salon, avec Lise assise à mes côtés et aussi nos amis Luzon au moment du café, après un bon petit repas généreusement arrosé. Je n'aurai pas ce loisir. La demi-heure est écoulée. Le gardien Moshé arrive, m'ordonne de le suivre. L'idée de réintégrer ma répugnante cellule me ramène brutalement sur terre. J'obtempère sans enthousiasme.

Mais il faut croire que cette journée est placée sous une bonne étoile. À la seconde où j'imagine que Moshé va verrouiller la porte, voilà que, tout souriant, il m'apprend que je dois ressortir avec mes effets car je suis transféré dans une autre cellule moins insalubre que celle-ci et où je ne serai plus seul!

Je reste ahuri, incrédule.

— Moshé, ne jouez pas avec mes nerfs, s'il vous plaît!

Il s'esclaffe, puis se met en devoir de me donner quelques conseils.

— Quand vous serez en contact avec les autres détenus, surveillez tout ce que vous direz; évitez de parler de la politique israélienne et même de prononcer le mot sionisme. Vérifiez aussi très souvent vos effets personnels; on peut chercher à y introduire de la drogue quand vous aurez le dos tourné.
— Charmant! Vu les risques de la cohabitation, est-ce qu'il n'est pas préférable finalement que je reste ici?
— Mais non, mais non, réplique Moshé.

Il n'y a, selon lui, aucune raison de s'inquiéter. Il faut être vigilant c'est tout et puis lui-même se charge de déjouer les manigances d'un éventuel mouchard à la solde de Chabann, si mouchard il y a. Enfin, au cas où je me sentirais menacé, je pourrai toujours faire appel à lui et il en réfèrera à Monsieur Levi. Bon, assez perdu de temps. Je devrais déjà avoir déménagé, à l'heure qu'il est.

Et nous revoilà dans la cour promenade. À l'autre extrémité de celle-ci, une imposante porte à barreaux d'acier qui s'ouvre avec un gémissement plaintif. Je pense *in petto* que c'est là une caractéristique des portes de prison, qui ne peuvent pas s'ouvrir sans grincer. À croire qu'on ignore l'usage du lubrifiant dans ce pays. À moins qu'il ne s'agisse d'une convention internationale; mais n'ayant été prisonnier qu'en Israël, je ne peux conclure définitivement sur ce sujet.

Durant ce bref aparté, mon ami Moshé discourt en hébreu avec les pensionnaires.

— Je vous ai présenté à ces messieurs, ajoute-t-il. Maintenant, vous êtes chez vous.

Il n'y a pas à dire, mon gardien favori a lui aussi le sens de l'humour, c'est d'ailleurs peut-être ce qui nous rapproche. Toujours est-il qu'il fait tourner la clé dans la serrure, me gratifie d'un dernier «*Shalom*» et disparaît dans la pénombre de la cour.

Je reste là, immobile, un peu gauche, ne sachant trop que faire. Enfin, tout sourire, un jeune homme s'approche, se saisit de mon bagage, le dépose sur un lit placé tout contre l'entrée et s'applique à me faire comprendre par des gestes que la couchette en question me sera réservée.

Puis, toujours souriant, il m'invite à m'asseoir sur une vieille couverture posée à même le sol et où siègent déjà, à la mode arabe, six personnages inconnus. Dans la demi-obscurité, je distingue à peine leurs visages. Toutefois, des murmures provenant du coin opposé de la cellule me révèlent qu'ils ne sont pas les seuls occupants. J'arrive à les dénombrer mentalement. D'après ce que je peux déduire, ils sont à peu près une dizaine. Contre les murs, sept lits doubles superposés deux par deux, du style «standard», c'est à dire métalliques et dépourvus de matelas. Au fond, le sempiternel et innommable cabinet avec douche, sans éclairage, derrière une porte mal jointe à côté de laquelle un minuscule évier surmonté d'un robinet tente de faire impression. Bien sûr, aucune fenêtre.

À l'actif de ma nouvelle résidence, des fissures dans les murs moins nombreuses, un sol en ciment qui semble être lavé tous les jours. C'est à peu près tout. Quant au reste... L'inévitable chaleur moite est au rendez-vous ainsi que les bestioles qui, pour l'instant, se cantonnent au plafond.

Je conclus de ce bref bilan que, comparée à la précédente, cette cellule présente quand même une maigre mais certaine amélioration. Le seul élément vraiment positif est la présence d'autres hommes et, qui plus est, d'hommes qui semblent, du moins en majorité, décidés à m'offrir leur amitié. Sur les dix, je repère rapidement deux Israéliens qui parlent français; les autres dialoguent uniquement en arabe. Mais qu'ils comprennent ou non ma langue, ils sont maintenant tous groupés autour de moi. Les uns m'offrent cigarette sur cigarette, les autres me tendent un bout de pain, un autre encore un morceau de fruit. Ils ne peuvent pas savoir, tous autant qu'ils sont, combien ils me font du bien et moi, par une sorte de pudeur imbécile, je n'ose pas le leur dire. Peut-être de peur de passer pour un gros naïf. Il faut bien dire que, sur ce point-là, j'ai plutôt été échaudé.

Une heure plus tard, j'ai déjà étroitement sympathisé avec deux d'entre eux: un jeune Arabe, Abouhani, celui-là même qui à mon arrivée m'a assigné ma couche, et Daniel, un Israélien au caractère très doux et au sourire un peu triste.

Nous parlons de tout, de tout et de rien, du temps qu'il fait dans mon pays, de la neige et aussi des automobiles américaines qui semblent exercer un véritable pouvoir de fascination sur mes compagnons. Nous parlons de tout, sauf de nous-mêmes.

Parfois, un gardien braque sur nous le faisceau de sa·torche électrique et nos visages blafards émergent de l'ombre comme des apparitions. L'homme nous ordonne le silence et l'immobilité, il nous dénombre minutieusement et reprend sa ronde. Les heures ont passé. Quelques bâillements étouffés, des mots d'excuses chuchotés et, une à une, les silhouettes regagnent leurs alcoves métalliques.

Allongé tant bien que mal sur mon lit orthopédique, j'écoute longuement le froissement des corps qui cherchent une position confortable, les respirations saccadées dues au manque d'air. Le sommeil ne vient toujours pas. Je ruisselle de sueur; je me retourne une centaine de fois; la vision de Lise me hante. Je ne m'endors qu'aux premières lueurs de l'aube.

À peine assoupi, je suis brutalement réveillé par des hurlements. Planté au ras de mon lit, un personnage à la bedaine imposante et à la face patibulaire pousse des cris à vous transpercer les tympans. Courbant l'échine, visiblement terrorisés par la colère de leur chef, deux autres policiers s'affairent à effectuer nerveusement un nouveau dénombrement. La tête du digne officier ne m'est pas inconnue et je reconnais en lui Chemtof, mon convoyeur lors de mon transfert de Patah-Tikwa à Beer-Sheva.

Le dénommé Chemtof a l'air particulièrement énervé. N'ayant pas trop confiance dans les connaissances arithmétiques élémentaires de ses subalternes - et dans le fond, il n'a peut-être pas tort - il nous recompte lui-même laborieusement, en nous pointant du doigt l'un après l'autre. Puis, fébrilement, il compulse un agenda crasseux où sont répertoriés les noms et le nombre de détenus occupant la cellule. Sa face déjà jaunâtre de nature devient livide. Je crois un instant que le cher homme va tomber en pâmoison. Les chiffres ne correspondent pas. Il manque un homme.

Nous en sommes là dans cet insoutenable suspense quand un bras passe dans l'embrasure de la porte dissimulant les toilettes et qu'une voix dit: «Je suis là». Le fugitif n'était pas bien loin. Occupé à satisfaire des besoins bien naturels, peut-être n'avait-il pas pris conscience du psychodrame qui se jouait de l'autre côté, à moins qu'il n'ait décidé de faire durer à plaisir cette petite méprise. Toujours est-il qu'il s'en faut de peu qu'il ne se retrouve assis dans ses propres excréments. Chemtof et ses acolytes se précipitent, hurlant, rageant de colère. Ils forcent le pauvre type à sortir des toilettes, culottes baissées, et ils le poussent de toutes leurs forces vers la porte où il se heurte violemment.

Je pense intérieurement qu'au lieu de molester ce malheureux gars, ces messieurs feraient mieux de s'attaquer à leur propre imbécillité mais, comme chacun sait, toute vérité n'est pas bonne à dire, surtout que notre ami l'officier semble nous considérer tous comme complices d'une conspiration. Le sermon n'en finit pas et la mise en garde est un peu longuette, assortie de menaces, de rugissements et de beuglements complètement incompréhensibles. Enfin, nous sommes éjectés dans la cour à coups de pied dans le dos et dans les fesses. Je décide de prendre la mésaventure tragi-comique avec philosophie. Après tout, ce remue-ménage me donne l'occasion de prendre l'air une seconde fois et c'est le principal. Aussi, j'adopte l'attitude la plus discrète possible et, ni vu ni connu, je me fonds parmi les autres prisonniers qui viennent également d'être extraits de leurs cellules.

Ni vu ni connu? Pas tout à fait. En tout cas pour un certain nain à démarche reptilienne qui s'avance vers moi, un sourire épanoui sur les lèvres.

Encore ce petit Monsieur Chabann. Que me veut cet oiseau de mauvaise augure?

Avec une douceur mielleuse qui me donne des frissons, il me prend par le bras, m'attire à l'écart.

— Comment cela va-t-il ce matin, Monsieur Durant? Alors, on commence à s'habituer?

Son sourire de commande qui s'accentue déclenche en moi un signal d'alarme. Il ne m'aura pas. Je suis bien résolu à jouer les naïfs. C'est encore la meilleure façon de s'en tirer quand on se trouve en présence d'un personnage aussi tordu et taré que celui-là.

Le petit homme, lui aussi, est décidé à jouer son rôle jusqu'au bout. Il me tend une cigarette déjà allumée. Décidément, il pousse trop loin la prévenance. Une vraie leçon d'hypocrisie.

Puis il se met à glousser en me lançant des regards furtifs.

— Vous savez, Monsieur Durant, que j'ai donné des ordres pour que vous puissiez dornénavant avoir accès au réfectoire et à la promenade quotidienne...

Quel culot! Comme si j'ignorais que ces adoucissements sont uniquement l'oeuvre de Monsieur Levi! Mais je joue la comédie aussi bien que lui et je le remercie chaleureusement. Mis en confiance, mon «bienfaiteur» m'apprend qu'il détient une très bonne nouvelle me concernant. Malgré moi, je me raidis. Je commence à les connaître, les bonnes nouvelles de cette petite ordure!

— Eh bien voilà, m'annonce-t-il de sa voix doucereuse, en tant que responsable de l'enquête à votre sujet, je ne vous conseille pas d'avoir recours à un avocat. Voyez-vous, la chose n'est pas nécessaire et puis cela vous coûterait beaucoup, beaucoup d'argent.

Mine de rien, avec une petite pointe d'insolence à peine perceptible, je murmure: «Vous pensez?»

L'autre a un haut le corps. Son sourire préfabriqué disparaît.

— Je vous l'assure, Monsieur Durant! Votre cas n'est pas assez grave pour requérir l'aide d'un défenseur! ...Ne vous inquiétez pas, je parlerai pour vous, je vais vous aider!

Il faut croire que, malgré tout ce qui m'est tombé dessus ces derniers temps, je suis resté un grand naïf car, l'espace de quelques secondes, je me demande s'il est sincère ou non. Fort heureusement, je me ressaisis aussitôt. Ce qu'il me raconte aujourd'hui ne cadre pas, mais alors pas du tout avec les propos qu'il a tenus à Lise quelques jours auparavant et où il lui laissait entendre que j'en avais au moins pour quinze à vingt ans. Plus aucun doute là-dessus, ce bonhomme-là veut ma perte. Je remets à plus tard la question de savoir pourquoi il s'acharne tant sur mon humble personne. Pour l'instant, une question un peu plus divertissante me préoccupe: pour parvenir à ses fins, jusqu'où ce salaud est-il prêt à mentir?

Pour le savoir, je tente une manoeuvre de mon crû en espérant qu'il tombera dans le panneau.

— Monsieur Chabann, s'il vous plaît (ma voix ploie sous une montagne d'humilité, comme si je m'adressais au président de la République lui-même), pourriez-vous m'accorder une faveur? Auriez-vous l'amabilité de prévenir mon amie de l'heure exacte de ma comparution devant le juge?

Mon interlocuteur ne perd pas une seconde.

— Cher Monsieur Durant, j'aimerais vous rendre ce service, mais hélas! je ne connais pas votre amie. Je l'ai aperçue une seule fois et très brièvement, hier après-midi, en votre compagnie, dans le bureau de Monsieur Levi.

Quel menteur! J'ai tout d'un coup l'envie irrésistible de lui hurler en pleine face qu'il connaît parfaitement Lise puisqu'il s'est même diverti à l'effrayer en lui laissant entendre qu'il n'y avait guère d'espoir. Je me retiens à temps et me compose un sourire d'une exquise politesse.

— Ne vous inquiétez pas, mon amie se débrouillera pour me rencontrer ce matin.

Chabann a un petit signe de tête. Son sourire exaspérant est revenu sur ses lèvres.

— Bien sûr, bien sûr, Monsieur Durant, murmure-t-il d'un air égrillard avant de tourner les talons. Bien sûr, elle se débrouillera. Une femme, vous savez, ça se débrouille toujours!

Appuyé contre le mur, les poings serrés, je le regarde s'éloigner. L'idée de rencontrer sous peu un magistrat avec ce serpent dans le dos commence sérieusement à m'inquiéter. Il ne me reste que l'ambassade, la seule solution à laquelle je peux encore m'accrocher. Mon dernier espoir.

CHAPITRE 7

Le cri du gardien appelle le bétail à la mangeoire. Encore tout préoccupé par l'entretien que je viens d'avoir avec Chabann, je suis, sans trop me presser, les affamés qui se précipitent vers le réfectoire. Quelques minutes plus tard, je me rends compte que j'aurais mieux fait de me hâter et de jouer des coudes comme les autres, au lieu de bafouiller des «Excusez-moi» chaque fois que je bousculais un de mes collègues. Politesse tout à fait ridicule, étant donné le manque de savoir-vivre qui anime tous les convives.

Je réussis enfin à me trouver une place sur un banc, mais le *sprint* n'est pas terminé pour autant. Il faut être doué d'une rapidité olympique pour espérer obtenir la moindre miette. Les premiers assis plongent à pleines mains dans les rations de leurs voisins sous l'oeil complice des gardiens indifférents, voire amusés. Bref, c'est là la plus belle illustration de la loi du plus fort. Des types s'enfournent trois rations tandis que d'autres doivent se contenter d'un malheureux tiers. Votre repas dépend presque entièrement de vos muscles. Comme ma condition physique est déplorable, je n'ai donc droit qu'à des restes. Furieux contre moi-même, je me promets bien qu'au prochain repas, à défaut d'être Monsieur Muscle, c'est moi qui pénétrerai le premier dans le réfectoire.

Pour l'instant, je suis plutôt bon dernier, ce qui me vaut des hurlements de rage de la part du cuisinier qui m'éjecte sans ménagement en me reprochant amèrement ma gourmandise.

Je me retrouve dans la cour, la panse à peu près vide et les doigts enduits d'une margarine de mauvaise qualité (car, bien sûr, nous ne disposons d'aucun ustensile pour nous nourrir). Je ne me suis pas encore résigné à m'essuyer les mains sur mes vêtements comme mes confrères et naïvement, en homme bien élevé que je suis, je scrute la cour en question, en quête d'un robinet. Je ne trouve pas d'eau, mais un sergent de police avec une serviette sous le bras qui m'invite à le suivre un peu à l'écart. Ce brave sbire est-il donc préposé à ma toilette? Je n'en demandais pas tant. Je le suis, pas trop rassuré.

Mon valet de chambre décide de jouer au prestidigitateur: en un éclair, il sort de la serviette un minuscule miroir qu'il suspend tout aussi vite à un clou planté dans le mur, puis il me tend un rasoir, du savon et m'ordonne de me raser. En quel honneur? Je comprends, à travers ses borborygmes, que dans une heure je serai devant le tribunal d'enquête et que je devrai ensuite rencontrer un représentant de mon ambassade; alors il s'agit d'être présentable, n'est-ce pas? Je ne peux pas m'empêcher de répliquer à mon aimable sergent, d'un ton un tantinet ironique, que si son rasoir peut améliorer l'apparence de mon visage, j'aimerais bien aussi qu'il me donne une recette miracle pour récupérer les dix ou douze kilos qu'on m'a si complaisamment extorqués depuis deux semaines.

Je ne sais pas s'il a bien saisi tout le piquant de mes propos. Toujours est-il qu'il se met tout d'un coup à hurler, les yeux exorbités.

— Rase-toi, sale espion!

Notre petit duo a ameuté la quasi totalité des détenus présents dans la cour qui se regroupent en une masse compacte autour de nous. L'autre s'est enfin arrêté d'aboyer. Alors, très dignement, toujours aussi poliment, je m'enquiers d'un peu d'eau, ingrédient nécessaire (à mon humble avis) à tout rasage. Une main généreuse approche un tuyau provenant de la fenêtre de la cuisine et d'où coule un mince filet d'eau.

Quelques secondes plus tard, j'ai perdu toute superbe. L'image de mon visage reflété dans le miroir me cloue sur place. Je ressemble à s'y méprendre au comte de Monte-Cristo, après son évasion du château d'If. Je m'extraie péniblement de ma stupeur et je me mets à l'ouvrage. Le manque de temps et d'eau chaude combiné à une lame déficiente datant du déluge font de véritables merveilles sur ma peau sensible. Je termine l'opération, le visage tout couvert de coupures sanguinolentes. Au moins, ça me donne des couleurs.

Je cède volontiers ma place à d'autres candidats peu enthousiastes et je commence à déambuler dans la cour promenade. Le jeune Abouhani, un compagnon de cellule, s'est joint à moi. Il parle parfaitement l'anglais, ce qui nous permet d'entretenir une conversation fort amicale jusqu'au moment où Chentof beugle deux noms de sa voix à la douceur incomparable. L'un de ces deux noms est le mien et je me rends à son suave appel.

Menottés, fouillés, refouillés, mon camarade inconnu et moi-même sommes littéralement expulsés vers la cour extérieure où est stationné le fourgon cellulaire qui doit nous conduire chez le juge d'instruction.

Juste avant de monter à bord du véhicule, j'ai la joie d'apercevoir Lise en compagnie de Monsieur Levi qui me fait des grands gestes d'une terrasse du bureau de police. Lise agite les bras avec frénésie tout en me lançant des encouragements. Tandis que le fourgon démarre, je comprends ses derniers mots: «Je t'attends».

Le véhicule s'ébranle, louvoye péniblement dans une foule dense qui effectue ses derniers achats en vue du sabbat. Mais le trajet à parcourir est assez court et, quelques minutes plus tard, nous arrivons au *rasco*, sorte de centre d'achat où cohabitent le ministère de l'Intérieur et d'autres offices gouvernementaux coincés entre des commerces de luxe. Aussitôt descendus - ou plutôt extraits - du fourgon, mon compagnon et moi sommes conduits dans le sous-sol du complexe où un cachot ténébreux faisant office de salle d'attente nous est réservé. Je m'avance à tâtons dans l'obscurité, espérant au moins découvrir un siège. Vaine illusion. Force m'est donc d'attendre debout et de prendre mon mal en patience.

Le temps passe. Il me semble qu'il y a une éternité qu'on attend ici; les yeux me font mal à force de scruter l'obscurité. Toujours aucun bruit de pas de l'autre côté de la porte. J'entends le souffle rauque de mon copain accroupi sur le sol, non loin de moi. Brusquement, le voilà qui perd le contrôle de ses nerfs; il arrive à trouver l'emplacement de la porte qu'il tente de défoncer à coups de poings. Enfin, le judas s'ouvre. Une clé tourne dans la serrure. Deux ombres s'avancent, empoignent mon collègue et l'emmènent. Un claquement sec, un nouveau tour de clé et je me retrouve seul dans mon caveau.

Après un temps qui me paraît interminable, le pauvre gars est ramené. Ça n'a pas l'air d'aller très fort. À peine est-il entré qu'il se jette sur le sol et se met à sangloter. J'en conclus qu'une sentence a été rendue à son sujet et que l'heure de la liberté n'a pas encore sonné. Je réussis à apprendre quelques bribes de sa triste histoire: il me confie être père de quatre enfants et être orginaire de Tunisie. Émigré depuis quelques années en Israël, il vient de se voir coller six mois de prison. La raison? Il s'est simplement rendu coupable d'avoir insulté deux policiers dans la banlieue de Tel-Aviv. Tout ça parce qu'il avait eu une altercation avec un marchand de saucisses qui ne voulait pas lui rendre sa monnaie et que les deux policiers en question appelés à la rescousse ne l'avaient pas cru. Alors, forcément, il avait un peu perdu patience... Et maintenant, que va devenir sa famille? Il a peur, terriblement peur que sa femme n'en vienne à se prostituer pour nourrir ses quatre enfants, pratique - me confie-t-il - assez coutumière dans ce pays.

Je m'emploie à réconforter mon pauvre diable du mieux que je peux quand la porte s'ouvre et qu'on hurle mon nom. Aveuglé par la lumière, j'arrive à distinguer l'inérrable silhouette de Chabann et, à ses côtés, celle du sergent au rasoir qui, m'annoncent-ils, doivent m'escorter chez le juge. Quelques minutes plus tard, mon nabot à face d'humanoïde fait sauter mes menottes et me pousse à l'intérieur de la salle d'audience située au deuxième étage. Je suis prié de m'asseoir au banc des accusés et d'attendre sagement la venue de l'honorable juge.

Je constate que le huis-clos est strictement appliqué. Le nombre de spectateurs dans cette sinistre salle de théâtre se limite à quatre: votre serviteur, l'ineffable Chabann, un autre policier et une secrétaire. Il faut dire que la pièce que nous allons jouer manque sans doute de piquant et qu'il n'y a pas là de quoi ameuter les foules. Manque encore l'acteur principal, le magistrat. Notre vedette finit tout de même par faire son apparition côté jardin, par une entrée latérale dissimulée sous un épais rideau. Après trois coups, le spectacle commence.

Le très vénérable homme de loi s'asseoit tandis que je suis invité à me mettre debout et à rester dans cette position. Tandis qu'il compulse l'épais dossier posé devant lui, je l'examine. Ma foi, contrairement à ce que je m'attendais, le bonhomme n'a pas l'air trop antipathique. Je constate même qu'il ressemble de façon frappante au célèbre homme de théâtre Sacha Guitry. Pourvu qu'il soit doué du même esprit chevaleresque! On peut toujours rêver, n'est-ce pas?

Le juge me demande de décliner mon identité. J'obtempère dans le plus pur style gentleman. Il esquisse un léger sourire où je crois même déceler (je dois encore rêver) comme une secrète complicité. Enfin, il me permet de m'asseoir.

Un dialogue en hébreu d'ordre juridique s'établit alors entre mon cher ami Chabann, encastré dans un box face à la Cour, et le magistrat. Puis l'aimable juge se tourne vers moi et commence à me questionner dans un français parfait.

— Monsieur Durant, voulez-vous relater à la Cour les véritables circonstances qui vous ont amené à rédiger ces deux lettres que j'ai sous les yeux.

J'aimerais lui répondre, à ce juge qui a une si bonne tête, qu'à l'époque où elles m'avaient été dictées, je n'avais aucun ressentiment contre l'État hébreu mais qu'à l'heure présente j'ai totalement changé d'opinion. Peut-être même, si je ne me retenais pas, que je lui raconterais en long et en large les causes de ce revirement idéologique. Mais le passé m'a appris qu'il ne faut pas se fier aux apparences et je me contente donc de lui remettre en mémoire ce qui se passa en 1972, à Eilat, et le rôle déterminant de mon ex-femme dans cette triste affaire.

Le juge approuve d'un signe de tête, comme si de tout son coeur il compatissait à mon malheur, puis il glisse quelques mots à voix basse à sa secrétaire qui lui répond tout aussi discrètement.

— Monsieur Durant, reprend-il d'une voix grave (tiens, lui au moins, il ne se met pas à hurler comme les autres fous quand j'ai l'audace de dire la vérité), personnellement je n'entrevois aucune objection à ce que vous restiez en liberté jusqu'à la date définitive de votre procès. (Ah non, c'est pas vrai, on va me réveiller, c'est pas possible!) Toutefois, il vous faudra verser une caution de quatre mille livres israéliennes et laisser votre passeport en notre possession.

C'est bien simple, je suis sur le point de m'évanouir, j'ai les jambes qui flageolent, je vois trente-six étoiles, je commence à balbutier des remerciements. La voix du juge me semble venir de très loin, comme étouffée, bienveillante, tellement bienveillante...

— Êtes-vous dans la possibilité de verser cette somme tout de suite?

Ma gorge est toute sèche. J'ai du mal à avaler ma salive, je crie presque.

— Oh oui, votre Honneur! Mon amie qui est présentement au poste de police de Beer-Sheva a suffisamment d'argent sur elle pour payer la caution!

— C'est parfait, conclut le magistrat. Vous patienterez dans un bureau voisin pendant que je la fais prévenir.

Brusquement, j'ai envie d'éclater de rire, d'un grand rire fou, libérateur. J'imagine déjà la joie de Lise quand elle apprendra la nouvelle; je me mets à élaborer des plans pour la soirée; je me vois au restaurant ou chez nos amis Luzon, protégé par leur amour, leur amitié, hors des griffes de ce cauchemar. Ma vue se brouille. Je réalise que j'ai les yeux pleins d'eau, que si je ne me retiens pas je vais me mettre à brailler comme un tout petit enfant.

Quelques secondes plus tard, je bascule une fois de plus dans l'angoisse. Livide, l'agent Chabann s'est redressé dans son box et interpelle le juge.

— Votre Honneur, je m'oppose formellement à la libération sous caution de cet individu. Je le considère comme extrêmement dangereux pour l'État d'Israël. Aussi, je me réclame du droit que me donne la loi pour le maintenir sous les verrous jusqu'à son procès.

Un dialogue s'ensuit auquel j'assiste impuissant, le coeur ravagé. Le bon juge laisse entendre que les conclusions du policier sont arbitraires, mais l'autre insiste, il n'en finit pas d'invoquer la légalité de sa requête. Conclusion: avec un regard désolé, le magistrat me prie de l'excuser et dans un soupir qui me fait une belle jambe, il ajoute qu'il n'y peut rien. L'audience est terminée. La Cour se retire et je me retrouve dans le corridor avec Chabann, désemparé, complètement écoeuré.

La couleuvre a l'air très satisfaite. Elle m'invite à la suivre avec son éternel sourire insupportable qui à lui seul lui mériterait deux coups de poing dans la gueule. Elle susurre: «Je ne pense pas, Monsieur Durant, que vous irez coucher avec votre amie ce soir. Enfin, elle se passera bien de vous et peut-être pourrai-je aller la consoler!»

Cette fois, quelles qu'en soient les conséquences, je suis prêt à lui donner ces deux coups de poing à ce salaud, mais au même moment, le policier en uniforme qui était présent dans la salle du tribunal accourt vers nous et laisse exploser sa fureur contre Chabann.

— Ce n'est pas bien d'enfermer cet homme et vous le savez! Ce n'est pas bon pour l'État juif!

Juste colère qui, aussi inefficace soit-elle, passe tout de même un baume sur mon coeur. Puis l'homme me serre la main et me confie d'un ton sincèrement attristé: «Monsieur Durant, si vous regagnez un jour le Canada, je jugez pas les Israéliens sur les actes des sionistes, je vous en prie.»

Mais déjà Chabann m'entraîne hors du bâtiment en me répétant d'un ton outré que le brave type aura des comptes à rendre pour ce qu'il a osé dire. Puis il prétexte avoir quelques petits problèmes à régler et il me laisse entièrement seul à l'extérieur, devant l'édifice, sans la moindre surveillance!

Pour l'homme extrêmement dangeureux que je représente, cela relève du paradoxe. Je conclus rapidement que c'est plutôt de la provocation. Si, par malheur, j'esquissais le moindre mouvement pour m'enfuir, *primo* je serais vite repéré, et *secundo*, ce bon Monsieur Chabann se servirait de ma tentative de fuite comme d'un aveu de culpabilité et s'empresserait de me faire écrouer pour un temps indéterminé. Je décide donc de ne pas imiter la chèvre de Monsieur Seguin et je reste là bien sagement, comme un enfant auquel ses parents ont ordonné de ne pas bouger. J'avais deviné juste: quand mon bon papa revient, dix minutes plus tard, il ne cache pas son désappointement: «Vous êtes encore là, vous?»

Et moi de rétorquer du tac au tac: «Eh oui, désolé de vous avoir déçu!»

Quelques secondes plus tard, après que nous avons embarqué dans l'auto jaune de la police, je ne songe déjà plus à ce petit intermède tragi-comique. Mon esprit est tout occupé par l'entretien que je vais avoir avec le représentant de mon ambassade. On dirait justement que Chabann pense à la même chose. Il se penche vers moi et me murmure avec son hideux sourire: «Dans quelques minutes, vous allez rencontrer votre ambassadeur et votre amie, peut-être pour la dernière fois?...»

Sous-entendu que je préfère négliger, bien décidé à envisager sous un jour optimiste l'entretien décisif qui va avoir lieu. Notre voiture s'immobilise enfin au centre de la cour du bureau de police et j'ai un pincement au coeur en apercevant la rutilante limousine arborant le drapeau canadien. Mais Chabann n'a pas fini son travail de sape. Avant de me quitter, il se croit encore obligé de me réconforter: «Un conseil, Monsieur Durant, abstenez-vous de commentaires sur votre détention. Vous me comprenez, n'est-ce pas? Ah oui, j'oubliais de vous dire: par mesure de sécurité, deux policiers assisteront à l'entretien... Et maintenant, profitez de votre dernière chance!»

Ouf! La couleuvre s'est enfin esquivée. Je respire déjà un peu mieux. Peu de temps après, je suis introduit dans le bureau de Monsieur Levi. Ce dernier est là, en compagnie de l'attaché d'ambassade et de ma petite Lise toute souriante qui me saute au cou.

Après nous avoir demandé de nous exprimer en français et d'élever suffisamment le ton pour qu'il puisse comprendre, Monsieur Levi nous offre des sièges tout autour de la table et va prendre place un peu à l'écart. Dès que nous sommes installés, je remercie vivement l'envoyé du Canada de s'être dérangé pour mon humble personne.

— C'est tout naturel, Monsieur Durant, me répond ce dernier avec un fort accent anglais. Votre amie m'a vaguement mis au courant. Pouvez-vous préciser?

Je le renseigne sur l'histoire des lettres, je lui apprends la détention arbitraire dont je fais l'objet et aussi les charges additionnelles de terrorisme et d'espionnage que ces messieurs veulent me mettre sur le dos. L'attaché demeure pensif un court moment.

— Eh bien, Monsieur Durant, j'en référerai à mes supérieurs. En attendant, il serait très utile de vous procurer un avocat.

Lise acquiesce avec vigueur, offre au représentant de l'ambassade de rester en contact avec lui pour toute information nécessaire. Le distingué diplomate hoche la tête.

— Vous n'avez plus rien à me dire, Monsieur Durant?

Passant outre aux avertissements de Chabann, je commence à aborder le récit de mes conditions de détention quand Monsieur Levi, bondissant sur sa chaise, m'interdit formellement d'élaborer sur ce sujet. L'attaché d'ambassade marque une certaine surprise mais, en homme bien élevé, il n'insiste pas. Avant de me quitter, l'air compatissant, il me serre chaleureusement la main. J'en profite pour lui glisser à l'oreille, en anglais cette fois: «Je vous en prie, faites l'impossible pour contacter Monsieur King au consulat de Tel-Aviv. C'est lui qui, en 1973, m'a obtenu un passeport spécial pour quitter le pays...»

Le diplomate acquiesce en silence, salue Lise et tourne les talons. Il est à peine sorti que Monsieur Levi s'approche de moi et me sermonne, sans trop de conviction, pour avoir parlé en anglais. Puis il interpelle son secrétaire, un grand maigre à la mine pincée et hautaine, et lui ordonne de me conduire jusqu'à ma cellule. Lise a la permission de m'accompagner. Lentement, le plus lentement possible, nous descendons les marches qui mènent au corps de garde. La lourde porte métallique du centre d'accueil s'ouvre. Un dernier long et passionné baiser, un dernier geste à mon amie et la porte se referme. De nouveau, je suis cloîtré.

Le lendemain, au réfectoire, j'ai pourtant une petite consolation. Il semble que je sois tout à coup auréolé d'une certaine gloire, qui provient sans doute de la visite d'un membre de l'ambassade qui n'est pas passée inaperçue. Toujours est-il que les bruits les plus fantasques courent à mon sujet. Et voilà que les caïds du réfectoire me reçoivent presque en hôte d'honneur. Attention touchante: ils m'octroyent une place à un coin de table et, fait inconcevable, m'offrent même une ration qui, m'assure-t-on par des gestes, ne me sera pas volée. Sur le moment, je n'ai qu'à me réjouir de leurs bonnes dispositions, mais leur empressement n'est pas sans me mettre mal à l'aise. Je devine que ce déploiement de courbettes aura une contre-partie et je ne me trompe pas.

Dans la demi-heure qui suit, lors de la première promenade matinale, je suis harcelé de questions, les unes très précises auxquelles je ne sais si je dois répondre, les autres complètement absurdes qui me laissent muet et ébahi. Toujours est-il qu'en quelques minutes je suis soulagé d'une quantité invraisemblable de cigarettes. Impossible de refuser, bien sûr, puisque c'est le prix à payer pour les attentions dont j'ai été l'objet. J'en viens même à regretter mon isolement plutôt que de devenir la proie de ces rapaces qui sournoisement entendent mettre en pratique la fable de La Fontaine: *Le Corbeau et le Renard*. Et pourtant ils se leurrent, je ne suis pas un corbeau français!

Enfin, non sans peine, je réussis à me dégager et je me dirige vers mon dortoir. À ce moment, Abouhani, l'un de mes compagnons de chambrée préférés, m'intercepte: interdiction formelle de pénétrer à l'intérieur pour l'instant. C'est l'heure du grand nettoyage. Effectivement, charriant dans ses flots des pelures d'oranges, des mégots et d'autres débris non identifiables, une vraie chute d'eau s'écoule hors de la cellule.

Je recule de bonne grâce et je me mets à tourner en rond dans la cour promenade. Je compte mes pas. On fait ce qu'on peut pour se distraire, n'est-ce pas? J'en suis à quarante-deux quand une main s'abat sur mon épaule. C'est Yuda, un gardien *grouzime* qui m'ordonne de le suivre. L'officier chargé de mon enquête veut me voir.

Aussi évident que deux et deux font quatre: ma petite sortie d'hier sur mes conditions de détention doit être parvenue aux grandes oreilles de cet âne de Chabann.

On me fait d'abord mijoter dans un bureau où une secrétaire seulette tapote béatement sur le clavier de sa machine. Des bruits de voix. Chabann apparaît... en compagnie de Lise.

Rapidement, il interrompt nos effusions et nous invite à le suivre dans une pièce adjacente. Nous nous asseyons autour d'une table sur laquelle Chabann a posé son exaspérante mallette noire. Aujourd'hui, notre couleuvre bien-aimée a décidé de jouer au papa-gâteau affable, copain-copain, le genre compréhensif et décontracté. Il sort quelques documents en sifflotant nonchalamment. Le naturel revenant toujours au galop, il crache bientôt son venin.

— Mademoiselle, annonce-t-il tout sourire, j'ai le plaisir de vous dire que le cas de Monsieur Durant s'annonce bien. J'aurai peut-être sous peu une bonne nouvelle à vous apprendre.

Figés sur nos chaises, Lise et moi le gratifions d'un signe de remerciement. Un léger coup de pied de ma compagne m'avertit qu'elle n'est pas dupe, elle non plus.

— Finalement (notre homme s'étire négligemment en soupirant), ces lettres qui sont reprochées à votre ami ne sont pas un obstacle insurmontable, si toutefois vous êtes de bonne volonté!

À quelle bonne volonté fait-il allusion? À la nôtre à tous les deux ou uniquement à celle de Lise? La réponse vient immédiatement, servie sur un plateau d'argent.

— Mademoiselle, pour éviter des dépenses inutiles et pour votre sécurité également, je vous propose amicalement de vous héberger chez moi, le temps nécessaire à la mise en liberté de votre ami.

Voilà donc où il voulait en venir, ce salaud, et sans doute depuis le tout début! Voilà pourquoi il s'acharnait sur moi. Tout devient clair comme de l'eau de source, oui, tout se tient admirablement: il crée d'abord de toutes pièces un climat de terreur autour de Lise pour ensuite s'ériger en bienfaiteur, moyennant bien sûr quelques faveurs en nature. L'ordure! À l'entendre, je serais libre dans quelques jours grâce à sa générosité... La seule pensée qu'il puisse poser ses sales pattes sur Lise me rend complètement fou. J'arrive à me contenir pourtant et à contrôler l'envie irrésistible de lui casser la gueule. Devant notre silence, Chabann décide de changer momentanément de sujet.

— Monsieur Durant, vous devez me croire quand je vous déclare, comme je l'ai fait à Patah-Tikwa, que je suis pro-arabe, dans un certain sens. Si vous êtes comme moi, il est normal que vous ressentiez une certaine compassion chaque fois qu'Israël effectue un raid chez les Arabes. Voyez-vous, tous ces assassinats me laissent un peu perplexe, attristé. Et vous, qu'en pensez-vous?

Ce que j'en pense? Ou cet homme est complètement dingue ou il est un agent double. À moins que ce ne soit une nouvelle ruse pour nous mettre en confiance. J'interroge Lise du regard et je prends la décision de répondre en notre nom à tous les deux.

— Écoutez, mon amie et moi, on commence à vous connaître. Nous ne désirons aucune faveur de votre part. Quand à ma compagne, elle refuse votre aide et je vous préviens que je vais me procurer un avocat.

L'avorton ne s'avoue pas vaincu. Il se tourne vers Lise et la questionne d'un ton qui se veut charmeur: «Vous, Mademoiselle, quelle est votre position?»

Lise lui rétorque bien tranquillement: «La seule chose que j'aurais à vous répondre se résumerait à une paire de gifles, mais tout compte fait je n'ai pas envie de me salir.»

Le masque tombe tout d'un coup. Le petit homme gesticule sur sa chaise, écarlate de fureur.

— Vous êtes des ingrats! Puisque vous le prenez ainsi, je vous avertis qu'avant quinze jours vous serez déféré devant un tribunal. Quant à vous, Mademoiselle, plus de visites et défense de contacter un avocat! Maintenant suivez-moi, je vous ramène à votre cellule.

Inutile de nous leurrer. Notre héroïque comportement va plutôt compliquer notre situation. Et pourtant, tandis que nous descendons les marches qui mènent au corps de garde, nous sommes très fiers de nous, Lise et moi; au moins nous pouvons conserver la tête haute, c'est déjà ça. Pour achever de nous rendre notre optimisme, nous croisons Monsieur

Levi dans l'escalier; il prie mon amie de le suivre jusqu'à son bureau. Je laisse donc Lise en sa compagnie, non sans lui avoir recommandé de lui résumer ce qui s'est passé.

Au comble de l'irritation, Chabann me pousse littéralement dans le corps de garde où un *grouzime*, tout aussi brutalement, me ramène à mes compagnons de cellule. Une heure plus tard, Moshé qui vient de prendre son service se pointe devant la porte de mon cachot, un sac de plastique bien rempli dans la main.

— Jean-Louis! (depuis quelques jours il m'a demandé la permission de m'appeler par mon prénom, ce que je lui ai accordé bien volontiers), j'ai quelques douceurs pour vous, avec l'autorisation de Monsieur Levi, de la part de votre amie!

Je remercie Moshé et je saisis le paquet. Un vrai pactole: cigarettes, chocolats, linge de corps, des fruits et surtout deux livres.

Vraiment, Lise est à la hauteur et Monsieur Levi est un homme de parole.

Il va sans dire que le contenu de mon sac ne fait pas long feu. J'en distribue de bon coeur une bonne moitié à mes codétenus qui me regardent d'un oeil gourmand. Quant à mes deux volumes, comme ils ne sont pas comestibles et, qui plus est, écrits en français, ils ne tentent aucun amateur.

Pourtant, l'un d'eux va bientôt m'attirer des ennuis. Il s'agit d'un livre traitant de la vie des Français sous l'occupation avec, sur la couverture, une photo en couleurs de l'entrée triomphale des troupes allemandes à Paris, en juin 1940. Or, voilà qu'un officier dénommé Marcel, originaire de France, remarque ledit bouquin sur mon lit. Il me reproche aussitôt avec véhémence d'exhiber des images sacrilèges. Un dialogue tragi-comique s'engage. Je lui concède que cette photo peut lui être antipathique et il appuie mon raisonnement en m'administrant une gifle magistrale et en me menaçant d'en référer instantanément aux services de sécurité. Je reviens à la charge en lui faisant valoir que, si je suis son raisonnement, il serait alors logique de procéder à l'arrestation de tous les touristes allemands en Israël et de jeter à la ferraille toutes les Volkswagen, dites «voitures du peuple», offertes aux ouvriers allemands par Hitler, sous le régime nazi. Résultat: j'hérite d'une seconde gifle, mais j'obtiens aussi la permission de conserver mon livre. Vaincu, Marcel s'éloigne après m'avoir montré son mépris par deux gros crachats envoyés à mes pieds avec une extrême vigueur.

Ce même jour, alors que je m'entretiens avec mon ami Abouhani, assis tous deux sur notre couverture, il se montre complètement stupéfait quand je lui confie que je vais bientôt demander l'aide d'un avocat.

— Comment? Tu n'as pas encore d'avocat? Mais tu vas droit au suicide!

Je le rassure sur mon sort en lui affirmant que l'ambassade du Canada et mon amie finiront bien par m'en dénicher un, trié sur le volet, mais le jeune Arabe secoue vigoureusement la tête.

— La question temps est primordiale! Attends, je pourrais peut-être t'aider...

Et il m'expose son plan: cet après-midi même il doit justement voir son avocat. Il lui glissera quelques mots pour obtenir un rendez-vous avec moi. «Mieux vaut un oiseau dans la main que deux sur la branche» dit le proverbe. Aussi, j'adopte d'emblée sa suggestion. Rapidement, je rédige sur un bout de papier une petite note explicative à l'intention de mon éventuel défenseur et je la confie à mon ami avec mille recommandations.

Là-dessus, Abouhani me chante les louanges de cet homme de loi au service de sa famille et de ses coreligionnaires depuis de longues années. Sa compétence est très grande et il gagne presque toujours ses causes. Timidement, je m'informe des honoraires de ce virtuose du barreau. Mon ami me rassure: ils sont modestes et, dans les cas les plus difficiles, tout de même fort acceptables. Reste à attendre la suite des événements.

Effectivement, une demi-heure plus tard, je jeune Arabe est demandé au corps de garde. Il me semble que son absence dure des heures et des heures. Pour passer le temps, je feuillette nerveusement les pages d'un bouquin, sans toutefois réussir à me concentrer sur ma lecture. Enfin Abouhani revient, accompagné d'un gardien. La porte à peine ouverte, je l'interroge du regard. Il se plante devant moi, rabat ses deux mains sur mes épaules et me hurle d'un ton triomphant: «Ça y est. Maître Raziuk veut bien te recevoir dans deux minutes.»

Tout ému, je serre longuement la main de mon ami. Les idées les plus folles me tourbillonnent dans la tête. Je m'imagine déjà virevoltant comme une gazelle dans la nature. Mon nom hurlé par un gardien me remet les deux pieds sur terre.

Je suis aussitôt conduit à la petite infirmerie contiguë au corps de garde. Maître Raziuk est là, assis à une table. Il me prie de prendre place en face de lui.

— Vous êtes Monsieur Durant?

J'acquiesce d'un signe de tête tout en examinant mon interlocuteur: relativement jeune, quarante ans au maximum, assez grand, l'air décidé, il dégage une impression de maîtrise de soi qui m'encourage. Voilà peut-être l'homme efficace que j'attendais et qui va me sortir de ce cauchemar?

Avant de commencer véritablement l'entretien, je laisse entendre que mon hébreu est trop imparfait pour me permettre de dialoguer sur des sujets d'ordre juridique. Qu'à cela ne tienne! Maître Raziuk accepte de parler anglais, langue qu'il possède parfaitement, étant lui-même, me confie-t-il, originaire de Californie.

Les doigts entrelacés, les avant-bras posés bien à plat sur la table, il s'incline vers moi, me fixe intensément.

— Monsieur Durant, je sais par le message que vous avez remis à Monsieur Abouhani que vous êtes canadien et que vous cherchez les services d'un défenseur. Toutefois, avant que j'accepte de vous défendre, vous ne devez absolument rien me cacher. Ceci est vital pour vous comme pour moi.

J'acquiesce et je me mets à raconter pour la xième fois les événements de 1972, les fausses accusations dont je suis aujourd'hui l'objet, l'animosité de l'agent Chabann à mon égard, les conditions de détention, la visite d'un membre de l'ambassade, le rôle de Lise, et même mon passé depuis ma tendre enfance. Je m'applique consciencieusement à ne rien omettre, j'épluche tout jusqu'à la racine. Une fois mon long récit terminé, je scrute le visage de l'avocat cherchant sur ses traits un signe d'approbation, de doute ou de refus. Rien. Aucune expression, aucun frémissement ne trahit sa pensée. Son silence commence même à devenir inquiétant quand enfin il murmure: «Un instant, Monsieur, je vous prie.»

Il sort une feuille de papier blanc de sa serviette, se met à prendre des notes. Il noircit la page aux trois-quarts, puis il tire un grand trait, pose son stylo.

— Monsieur Durant, surtout ne me mentez pas. Mises à part les fameuses lettres de 72, écrites sous l'influence de votre ex-femme, n'avez-vous vraiment jamais rien tenté contre l'État d'Israël?

Je n'ai aucune hésitation. C'est non, non et encore non!

L'avocat se passe la main dans les cheveux, m'observe quelques minutes, pousse un gros soupir.

— Je ne vous cacherai pas que votre cas est assez grave pour la simple raison que vous êtes entre les mains des services de sécurité. Et ici, en Israël, même s'ils commettent des erreurs, ils font rarement machine arrière. Enfin... (nouveau soupir) je vais essayer de vous éviter le tribunal, ce qui est nettement préférable pour vous. Si j'y arrive, je réclamerai probablement l'expulsion. D'autre part, je vais introduire une demande de liberté sous caution, mais ne vous faites pas d'illusion, ça a peu de chances d'aboutir... De toute façon, je vais étudier votre dossier à fond et prendre contact aussi avec votre amie et votre ambassade.

Je hasarde quelques remerciements et j'en viens à la question des honoraires. L'homme de loi lève les yeux au plafond et, tout en tapotant du bout des doigts un coin de la table, il m'annonce ses prix: deux cent cinquante dollars tout de suite (je n'ai qu'à lui signer une procuration) et cent vingt-cinq dollars supplémentaires s'il doit plaider au tribunal. Soit. Je l'informe de mon adresse et je paraphe le document qui fait de lui mon défenseur officiel.

Une rigoureuse poignée de main et l'avocat se fait ouvrir la lourde porte métallique qui donne sur la liberté. L'un des deux gardes de service qui m'escortent jusqu'à ma cellule me reproche à chaque pas d'avoir dialogué en anglais, ce qui l'a empêché de comprendre quoi que ce soit à notre entretien. Il doit y avoir du Chabann là-dessous.

7 juillet. Il fait à peine jour dehors lorsque j'ouvre les yeux. Ma première pensée est pour Lise. Dort-elle en ce moment précis ou pense-t-elle à moi? Et l'ambassade, quand va-t-elle se décider à réagir? Deux jours déjà que le diplomate est venu me voir et depuis aucune nouvelle. Pour me remonter le moral, j'imagine mon avocat affairé et galopant dans tous les azimuts, discutant avec les autorités, hurlant mon innocence jusqu'à en devenir aphone. Décidément, j'ai une nette tendance à la divagation ce matin, mais que voulez-vous: l'espoir fait vivre.

Je décide de changer de distraction et d'observer les hommes endormis qui m'entourent. Dans le fond, à bien y penser, je n'ai jusqu'ici réellement lié connaissance qu'avec Abouhani qui somnole dans le lit sous le mien. Il faudrait voir à réparer cette injustice et je commence mon examen méthodique. Par exemple, cet homme plus que sexagénaire qui dort en position de chien de fusil, une joue appuyée sur ses deux mains moites. Il ronfle, un peu engoncé dans son costume typique de bédouin. Quel prétendu crime peut donc avoir commis ce vieillard? Juste au-dessus, un autre descendant d'Ismaël allongé sur le dos, les mains croisées sur la poitrine, les doigts de pieds pointés vers le haut, totalement immobile. Il respire à peine: il ressemble à un mort dans un salon funéraire. Il a étalé sur son corps une espèce de linceul blanc qui contraste étrangement avec son énorme barbe, ses cheveux et ses sourcils noirs. Entre le lit de ces messieurs et les toilettes, un Israélien maigre à faire peur. Son corps ruisselle de sueur, il n'arrête pas de haleter dans son sommeil et il a des drôles de soubresauts à intervalles réguliers. Celui-là, Moshé m'a relaté son histoire: il se nomme Biton, trente-cinq ans, drogué. Sa passion des stupéfiants l'a amené à falsifier des ordonnances médicales pour se procurer sa dose. Un jour, la police l'a agrafé grâce à la complicité du pharmacien qui voyait ses réserves de produits euphoriques diminuer de façon anormale. Biton a été arrêté. Il est écroué depuis de longs mois dans l'attente d'un énigmatique procès.

Juste au-dessus de cet adepte des Valiums, un tout jeune homme également descendant d'Abraham. Totalement imberbe, visage poupon reflétant l'innocence. Sur lui aussi j'ai quelques informations: le jouvenceau qui n'a même pas vingt ans s'appelle Clément. C'est son amour pour une Juliette de seize ans qui lui a valu la prison. Tout comme pour les amants de Vérone, la haine entre les deux familles - ou plutôt entre les deux mères - a déclenché le drame. Le jour de sa mobilisation dans l'armée, le jeune puceau ne put résister à l'envie de pénétrer dans le domicile de sa bien-aimée pour échanger un innocent baiser d'adieu. La mère de la dulcinée les surprit enlacés - fort chastement d'ailleurs, semble-t-il - et fit pression sur sa fille effarouchée, ce qui valut au futur soldat d'être inculpé de viol. Moralité: Roméo sera sans doute condamné à passer toute sa belle jeunesse en prison.

J'arrête là cette revue des troupes qui finalement me déprime plus qu'autre chose. Tous ces hommes sont-ils réellement des coupables? Ne sont-ils pas surtout des victimes d'un ordre établi qui ne pardonne à peu près rien? Dans le fond, sans qu'ils le veuillent, sans que je le veuille moi non plus, un lien secret nous unit tous dans notre misère.

Les moments que je hais le plus dans ma vie carcérale sont ceux qui suivent le sommeil. Le saut brutal du rêve à la dure réalité a de quoi vous alourdir pour une bonne demi-heure d'une poisse inqualifiable. Débuter une journée entouré de gens déprimés, inquiets, harcelés par des gardiens maniaques et braillards exige une force morale hors du commun et aujourd'hui, cette force-là, le moins qu'on puisse dire, c'est qu'elle me fait défaut. Je me bouche les oreilles à l'avance pour ne pas entendre les hurlements du gardien qui viendra nous réveiller. Mais fort heureusement, c'est mon ami Moshé qui se présente. D'un geste, il m'invite à sortir de ma cellule.

Il m'annonce qu'il est officier de garde aujourd'hui. En conséquence, il m'ordonne, avant d'aller au réfectoire, de balayer la cour et de la nettoyer à grande eau. Je comprends que la tâche qui m'est assignée est en fait un honneur. Elle me permet de me soustraire un peu à la puanteur du cachot et de prendre l'air un bon bout de temps.

— Le travail doit être parfait, ajoute Moshé avec un clin d'oeil. Donc, travaillez lentement, très lentement.

Il me met un balai dans les mains, me tapote l'épaule et disparaît dans le corps de garde.

Je m'applique donc, sous les regards envieux des autres détenus, à user les poils de ma brosse sur le ciment rugueux. Si j'ai l'air de manquer de zèle, je ne le fais pas exprès, c'est plutôt la force physique qui me fait défaut. Après trente minutes de labeur, je m'aperçois qu'il faudra encore deux bonnes heures avant de venir à bout de la cour promenade. Comme je ne suis pas Hercule nettoyant les écuries d'Augias, je commence à peiner lamentablement d'autant plus que mes biceps souffrants réclament leur dû de calories.

Enfin l'heure du repas. En hurlant, le gardien Méno libère les occupants des cellules et les pousse à coups de pied dans le cul vers la mangeoire. Abandonnant mon outil de travail, j'emboîte le pas et je réussis à poser la moitié de mes fesses sur l'extrémité d'un banc. Il faut croire que mon petit frottage a réveillé mes réflexes pour me permettre, à la vitesse de l'éclair, de planter deux doigts dans un cube de margarine, deux autres dans un bol de confiture et d'agripper de l'autre main deux ou trois tranches de pain rassis.

Abouhani, en face de moi, n'a pas eu cette chance. Il doit se contenter d'une tranche de pain et d'une quantité microscopique de confiture à l'opposé de son voisin, un caïd de la cellule numéro un, qui sans scrupules nage dans l'abondance. Soudain, celui-ci me fixe avec dureté.

— Hé, le *canadi*, t'es pas content?

J'y vais de mon plus exquis sourire.

— Le Canadien est parfaitement content, pas pour lui mais pour vous!

Et je lui désigne négligemment sa portion pantagruélique.

L'autre éclate de rire.

— T'es un malin, toi! Tiens... (et il empile sur mon maigre déjeuner deux autres tranches de pain et de confiture). Je fais ça pour toi parce que t'es pas un sale juif, t'es un type bien. Si t'as des ennuis, viens me voir, moi ou Maurice.

Et sur ce, il entreprend une bruyante conversation avec ses voisins, qui ne fait qu'ajouter quelques décibels de plus au vacarme des milliers d'autres qui emplit le réfectoire.

Mon repas englouti, un peu plus fort de quelques calories, je réempoigne mon peigne à béton. Au bout d'une demi-heure, ma nouvelle ardeur s'est éteinte et je suis complètement crevé. Enfin, le sol est débarrassé de ses détritus. Les cellules ont récupéré leurs troupeaux humains et je suis fin prêt pour jouer au pompier.

Le préposé à la cuisine me refile dix mètres de tuyau de caoutchouc raccordé à un robinet à la pression généreuse. Quelques secondes plus tard, je suis déjà sur le point de provoquer une véritable inondation dans la cour dont le seul orifice d'évacuation est de diamètre bien insuffisant. Bientôt le niveau d'eau atteint cinq centimètres et, avant que la cour ne se transforme carrément en piscine, je décide de faire fermer le robinet. Reste à attendre, tel Noé, que les eaux se retirent. Rien ne se produit. Au bout de vingt minutes, toujours rien. La masse de liquide, aussi têtue qu'une bourrique, s'obstine à conserver ses cinq centimètres. Encore mieux: est-ce une illusion? J'ai la nette impression que le volume augmente. Ajoutez à cela les fous rires des prisonniers derrière leurs grilles qui n'arrêtent pas de crier «Au secours! On va se noyer!» en se tordant de rire. Bref, je me résouds à appeler Moshé à l'aide. Il accourt, mécontent, les deux pieds dans l'eau. Sentant venir l'orage, humblement je pointe du doigt le coupable: le goulot de vidange trop étroit qui ne semble pas avoir soif du tout. Ce geste n'apaise pas Moshé. Au contraire, il se met à tonner.

— Écoutez, Jean-Louis, si chaque fois que je vais vous offrir un petit privilège, vous provoquez une connerie dans ce genre-là, vous allez réintégrer la cellule des femmes et en bateau s'il le faut!

Devant ma tête déconfite, il se calme pourtant.

— Bon, il faut absolument faire disparaître cette eau avant l'arrivée d'un officier. Vous savez que vous pourriez être accusé de sabotage?

Durant les dix minutes qui suivent, je dois introduire et retirer à une cadence diabolique une barre d'acier dans ce maudit trou. Enfin je réussis, non sans peine ni sueur, à le déboucher et l'eau s'écoule. Complètement disloqué, moite de transpiration, je regagne mon lit et je m'étale comme une crêpe tout en me jurant bien que cet exploit hydraulique sera le dernier.

Je m'enfonce dans les ténèbres comme dans de la glu. J'ai dû dormir plusieurs heures d'affilée quand la voix de Moshé m'éveille en sursaut: mon avocat m'attend. Cet appel a sur moi l'effet de la dynamite et je file comme une fusée à l'infirmerie. Quelques secondes plus tard, je serre la main de Maître Raziuk.

Si j'avais su, je me serais moins hâté. Ce que mon avocat a à me dire n'a rien, mais vraiment rien, pour me remonter le moral.

— Monsieur Durant, m'annonce mon distingué homme de loi, je dois d'abord vous annoncer que votre remise en liberté sous caution a été rejetée, comme je m'y attendais, mais ce n'est pas le plus important. Sur la demande des services de sécurité, vendredi de la semaine prochaine vous allez comparaître en Cour. Non plus pour votre enquête, cette fois, mais devant un tribunal qui sera chargé de vous juger.

J'éprouve un grand vide tout à coup, comme si ma tête était devenue une calebasse. Il me faut un énorme effort pour oser lui demander: «Je suppose que le procès sera trafiqué et l'acquittement aussi lointain que la galaxie d'Andromède?»

Le cher homme ébauche malgré tout un sourire.

— Passons maintenant aux bonnes nouvelles. Je ne veux pas vous donner trop d'espoir, mais le procureur de Jérusalem est un de mes amis intimes; je lui ai parlé de votre cas et il a accepté de me rencontrer cette fin de semaine. Un représentant de votre ambassade assistera à l'entretien. Vous comprenez, mon but est de vous éviter à tout prix le tribunal.

— Combien de chances, Maître Raziuk?

— Eh bien, disons... comme je l'ai dit à votre amie, je ne peux pas vous faire une promesse absolue... Enfin disons soixante-quinze pour cent?

Si je n'avais pas les jambes en papier mâché et un rien de pudeur, je lui sauterais au cou. Voulant peut-être éviter ce débordement d'effusions, l'autre s'empresse de tempérer mes ardeurs.

— Cher Monsieur, j'admets que nous ayions une certaine chance d'obtenir l'expulsion, mais rappelez-vous quand même qu'il ne faut pas vendre la peau de l'ours avant de l'avoir tué... Ah oui! J'oubliais... Voici deux tablettes de chocolat et trente paquets de cigarettes de la part de votre amie.

Je reste éberlué aussi bien par l'entretien que je viens d'avoir avec l'avocat que par le colis providentiel qui me tombe du ciel.

Maître Raziuk lorgne du côté des paquets de cigarettes.

— Vous allez vous tuer à fumer de la sorte!

Je le remercie de se préoccuper de ma santé et je le rassure en lui affirmant qu'une bonne moitié de ces paquets sera distribuée à mes codétenus.

Soulagé de savoir que je ne mourrai pas cette année d'un cancer du poumon, mon avocat me serre chaleureusement la main et reprend le chemin du monde libre.

De nouveau les cris du gardien et un dîner de bagnards juste suffisant pour vous mettre en appétit. Puis, pour digérer, quelques tourniquets dans la cour: quarante pas en avant, un demi-tour complet, un autre quarante pas, un autre demi-tour et ainsi de suite. À ce rythme-là, on finit pas en avoir carrément marre de regarder toujours le bout de ses doigts de pieds.

Vient le moment de réintégrer nos tanières. J'accepte alors une nouvelle offre de Moshé pour récurer la cour, à sec cette fois.

Selon lui c'est plus prudent.

Quand j'y repense aujourd'hui, je me dis que j'aurais dû refuser catégoriquement. Mais comme je ne suis pas prophète, je ne pouvais pas prévoir l'incident macabre qui, dix minutes plus tard, allait marquer cette journée d'une manière sanglante.

CHAPITRE 8

Je manoeuvre mon balai paisiblement - et sans grande conviction - lorsque soudain des cris d'épouvante fusent de la cellule numéro deux. Les mains agrippées aux barreaux de métal, les détenus hurlent, appellent les gardiens qui accourent enfin, clés en main, pour ouvrir la porte. Je n'ose m'approcher et je reste là, au beau milieu de la cour, serrant mon manche de balai-brosse, intrigué et aussi un peu inquiet. Brusquement, tel un jouet propulsé par un ressort, un individu à moitié nu et couvert de sang sort en trombe de la cellule, poursuivi par les policiers.

Tout en courant, l'homme continue allègrement ce qu'il avait sans doute commencé dans sa cellule: à l'aide d'une lame de rasoir, il se taillade sauvagement le corps, des pieds à la tête, en poussant des hurlements de rage et ce, malgré les efforts désespérés des gardiens. Le sang gicle de partout, rejaillit sur les gardes qui se mettent à hurler eux aussi, complètement exaspérés. Massés derrière les grilles de leurs cages, les prisonniers crient: «Assassins! Assassins!» À moitié maîtrisé, l'homme se débat encore avec l'énergie du désespoir. Durant quelques secondes, tous ne forment plus qu'une mêlée indescriptible, couleur rouge vif, d'où émerge spasmodiquement une main ensanglantée ou un visage hagard. Le pauvre diable a bien sûr rapidement le dessous. Les policiers ont décidé d'adopter les grands moyens: ils le gratifient d'une avalanche de coups de poing en plein visage, puis d'un dernier dans l'estomac. L'homme s'écroule.

Trainé comme un mannequin jusqu'à l'infirmerie, le désespéré est jeté sur le sol sans ménagement. Mais presque aussitôt, avec une vigueur imprévue, tel un poulet auquel on vient de trancher la tête, l'agonisant se redresse d'un bond, se met à courir à toutes jambes. La bagarre reprend de plus belle. L'hystérie du malheureux a dû contaminer les policiers car, cette fois, ils y mettent le paquet: coups de pied, coups de poing, de chaises. Finalement, à bout de souffle - et de sang - le pauvre hère est traîné en direction de l'hôpital.

Et pour couronner cette scène dantesque, un officier que la tentative de suicide a attiré sur les lieux m'ordonne de faire disparaître les taches de sang qui maculent le plancher et les murs de l'infirmerie. Inutile de dire que la perspective de ce travail de vampire ne me plaît guère. J'en réfère à Moshé qui s'avoue impuissant. Je dois m'exécuter, sinon mon refus d'obéir rejaillira sur lui et il s'attend déjà à avoir des ennuis à cause de cette lame de rasoir qui inexplicablement n'a pu être décelée malgré les fouilles.

Bref, il faut me résigner.

Deux minutes plus tard, un seau d'eau bouillante et des chiffons en main, je m'applique à éponger le sang répandu. Cette besogne répugnante m'amène toutefois à une puissante déduction: ce liquide de vie est d'un rouge identique au mien et, sans risque de se tromper, à tous les hommes de la terre. Alors au diable le racisme et toutes ces politiques de merde encore en vigueur dans certains pays qui tentent d'établir une hiérarchie des couleurs!

Tout en enchaînant sur d'autres réflexions tout aussi hautement philosophiques, j'achève enfin mon travail et je vais vider le contenu écarlate de mon seau dans l'orifice d'évacuation de la cour. Massés derrière les grilles de leurs cages de zoo, les détenus me regardent en silence.

Avant de réintégrer ma cellule, je demande à Moshé quelques explications sur l'acte de désespoir du pauvre type. J'apprends alors que ce dernier venait d'être condamné le matin même à quatre années de prison. Il devait être transféré cet après-midi au pénitencier de Chata. Chata, la prison la plus sinistre d'Israël où règnent en maîtres une chaleur suffocante, l'homosexualité, le manque de soins. Une antichambre de la mort.

Je vais m'asseoir sur ma couche, complètement vidé, accablé comme sous un poids de vingt tonnes. Voilà donc ce qui se passe en Israël, ce pays où, affirme l'Ancien Testament, ruisselle le lait et le miel, voilà ce qui se passe derrière le folklore pour touristes, derrière ces façades aveuglantes de blancheur qui nous enchantaient jadis, Lise et moi. Je n'ai pas vu couler le miel ni le lait mais le sang; je n'ai pas vu le soleil mais l'ombre, un monde de ténèbres où s'épanouissent la corruption, les intrigues, la violence, où régnent tels les cerbères de l'antiquité, des débiles paranoïaques et sans scrupules, ivres de pouvoir. Oui, voilà ce que j'ai vu depuis qu'ils sont venus me sortir de mon lit un certain matin de juin et les visages compatissants de mon ami Moshé ou de Monsieur Levi ne parviennent que bien imparfaitement à adoucir ce tableau d'enfer.

La voix du jeune Clément m'extraie de mes pensées. Il cherche un partenaire pour jouer au jeu ô combien captivant du pendu. Durant deux heures, nous noircissons de gibets et de petits bonshommes les espaces vides des pages de mon bouquin. Je comprends bien que tout est bon pour se distraire, mais tout de même, ça commence à devenir lassant. Clément me propose un autre jeu.

— Qu'est-ce que c'est?

Il ne me répond pas tout de suite. Très consciencieusement, il fabrique une sorte de fusée miniature à l'aide d'un cornet de papier dont la pointe est ornée d'une boulette de pain humide. Le truc, m'explique-t-il enfin, c'est de coller l'engin au plafond pour accumuler les points.

— Ah!

Malgré ma volonté de me montrer sociable, je refuse de participer à ce Cap Canaveral improvisé, jeu qui semble encore plus bête que le pendu. L'ex-Roméo paraît déçu par mon refus et tente d'obtenir la collaboration de Biton. Inlassablement, les projectiles s'accumulent au plafond qui finit par prendre l'aspect d'une voûte de caverne où pendent des dizaines de stalactites. Enfin, c'est l'heure du souper.

Un souper qui a l'air exceptionnel: le cuisinier, faisant preuve d'une imagination inhabituelle, nous offre des spaghetti au menu. Leur seul défaut est leur maigre quantité, mais paradoxalement le temps nécessaire pour les avaler n'a absolument aucun rapport avec leur volume. Faute de fourchette, la seule solution un peu digne qui nous reste est de les aspirer un à un. Multipliez mon propre bruit de succion par cinquante et vous aurez une petite idée de la façon dont les manières bourgeoises sont respectées dans le réfectoire. Comme d'habitude, le vide laissé dans nos estomacs par le maigre gueuleton est compensé par des rasades d'eau insipide et tiédasse.

À titre d'information, j'accroche Moshé afin qu'il m'éclaire sur le sujet: pourquoi diable les autorités rationnent-elles à ce point la nourriture des prisonniers? La réponse de mon ami tient en peu de mots: tout l'argent du gouvernement sert en grande partie à l'achat et à la fabrication d'armes offensives. Le pain du peuple ne vient qu'en second et donc à plus forte raison celui des locataires des prisons. Parfois même, il arrive que l'armée soit obligée de fournir de quoi nourrir les prisonniers - sublime paradoxe, n'est-ce pas?

Quelques instants plus tard, je regagne ma cellule, accompagné par un *grouzime* qui, pour rester fidèle à ses hauts principes, me pousse comme une brute à l'intérieur. La nuit commence à descendre; un silence inhabituel règne dans le cachot. Biton, qui déambule à pas feutrés entre les lits, m'explique la raison de cette atmosphère de mélancolie: demain matin, plusieurs de mes compagnons doivent passer en Cour. Et c'est à mon tour d'attraper le spleen en pensant aux risques qui m'attendent, vendredi prochain, si Maître Raziuk ne réussit pas à faire dévier la trajectoire qui me mène droit au tribunal.

En dépit de la chaleur suffocante qui frise les 35°C, j'allonge mon squellette sur un vieux matelas de mousse tout détrempé de sueur. Un cadeau de Maurice. Après une nuit entrecoupée de réveils fréquents, tout moite et courbaturé, je me laisse glisser du lit, péniblement, décidé à prendre une douche qui, je l'espère, va me régénérer. Encore faut-il avoir une certaine dose de témérité pour aller barboter dans ces toilettes d'où émanent des relents entêtants d'urine et d'excréments. Je me mets donc en position de combat: les narines pincées, les pieds dans le cloaque, ouvrant de ma seule main disponible la valve d'arrivée d'eau, une eau qui, vu sa tiédeur, s'avère à peu près inutile quant à l'effet de fraîcheur escompté. En tout cas, si fraîcheur il y a, elle est bien éphémère: deux ou trois minutes plus tard, vous vous retrouvez aussi moite qu'avant et vous êtes condamné à le rester jusqu'à la prochaine baignade.

Ce matin, mes colocataires n'ont pas l'air enclins à la causette. Ils semblent très affairés. Absorbé dans un simulacre de toilette, mon dormeur à la barbe noire et au linceul blanc daigne à peine me confier: «Excuse-moi, je me prépare pour le tribunal...»

Le fait est qu'il a l'air plutôt inquiet et, pour avoir vu à quoi ressemble un tribunal dans ce pays, je le comprends.

Biton me prend à part.

— Tu n'aurais pas une chemise à me prêter? Moi aussi je vais en cour ce matin et je n'ai pas revu ma femme et mes enfants depuis deux mois, alors tu comprends...

Je le regarde, compatissant.

— Mon pauvre vieux, tu n'as pas de linge et ta femme ignore que tu es ici?

— Penses-tu! hurle mon compère, elle sait parfaitement où je suis, mais ces ordures de policiers lui ont refusé de me visiter, il y a deux semaines. Elle a été obligée de repartir avec les enfants, sans pouvoir me donner mon colis. Elle ne sait même pas que je passe au tribunal aujourd'hui. Tiens, c'est comme pour le petit Clément. Sa mère s'est pointée trois ou quatre fois au corps de garde et ils l'ont renvoyée chaque fois. Ça fait qu'on est appelés devant le tribunal, sans défenseur, sans que nos familles le sachent. Regarde-moi, je n'ai qu'un short à me mettre! Et ils nous demandent d'être propres, ces salauds! Avec quoi je te le demande! On en est rendus à se ronger les ongles des doigts, on va pourtant pas faire la même chose pour les doigts de pieds!

J'acquiesce. L'entreprise me paraît en effet difficile, voire désespérée. Bien sûr, m'apprend Biton, tous les hommes qui devront comparaître en cour ce matin seront autorisés à se raser après le déjeuner... mais avec une seule et unique lame pour tout le monde! Résultat: si vous avez le malheur de vous présenter le dernier, vous vous retrouvez avec un visage à moitié rasé, mais complètement ensanglanté. Quant à l'absence de défenseur, elle est délibérément voulue par les autorités: technique très salutaire qui permet en un minimum de temps et d'argent de vous mettre hors circuit sans publicité. Oh! il y a quelques rares exceptions, quelques fils à papa qui vous affirmeront qu'ils ont été équitablement traités, mais ils omettront de révéler les sommes astronomiques que leur ont coûté ces petits privilèges!

Le petit déjeuner à peine englouti dans les conditions que vous savez, je remarque un accroissement important des promeneurs dans la cour. Mon ami Abouhani m'en donne l'explication: les nouveaux venus, pour la plupart des locataires des prisons avoisinantes, sont rassemblés ici durant une semaine avant d'être déférés devant les tribunaux de Beer-Sheva. Quant au reste, il se compose de prisonniers sur le point d'être transférés dans une autre prison ou de citoyens arrêtés durant la nuit.

En scrutant cette cohue, je ne peux pas m'empêcher de conclure que nous allons être plutôt à l'étroit dans nos cellules. Juste pressentiment: peu de temps après, lorsque les portes se referment, de nouveaux visages font leur apparition dans notre chambrée. Je les dénombre mentalement: vingt-quatre. Si j'inclus Biton, Clément et l'Arabe barbu provisoirement absents, j'atteins un total de vingt-sept. Or nous disposons de quatorze lits. Ce qui signifie que treize bonshommes vont devoir partager la couche d'un compagnon ou coucher carrément à même le sol. J'imagine sans peine que cette addition de corps humains dans le dortoir n'améliorera pas la qualité de nos nuits déjà passablement oppressantes.

Et si ce n'était que le nombre! Par malheur, nous n'avons pas hérité de modèles de savoir-vivre. Nos gentlemen se présentent plutôt comme un ramassis de détraqués, exception faite de deux ou trois d'entre eux. Ils se mettent tout de suite à l'oeuvre en tâtant les couchettes une à une, dans le but évident de se les approprier, par la force s'il le faut. Ce qui occasionne quelques coups de gueule et de poings.

Vous me connaissez, je ne suis pas du genre violent, mais il ne faut tout de même pas trop me marcher sur les pieds. Je joue donc l'indifférent dans le tumulte, tout en m'agrippant à mon lit. Mais je ne suis pas inquiété. Hasard fort compréhensible, explicable par le seul fait que je suis trop bien pourvu en cigarettes. Pourtant, si je me vois ménagé par les intrus, les trois absents n'ont pas cette chance. Qui va à la chasse perd sa place. Quelques minutes après notre retour en cellule, un trio d'indélicats se prélassent déjà sur les couchettes, bien décidés à y rester. Un amas de vieilles couvertures, de sacs, de chaussures, un véritable marché aux puces (au sens littéral du mot) encombrent les espaces vides de la cellule. La température oscille maintenant à près des 40°C.

Première conséquence de cette chaleur d'enfer et du manque de renouvellement d'air: un mal de tête tenace, intolérable. Bien sûr, aucun de nous ne possède d'aspirine et s'en procurer est hors de question. Un seul espoir bien mince: attendre la visite de l'infirmier demain matin pour obtenir un ou deux misérables cachets et encore faudra-t-il qu'il soit de bonne humeur!

Selon Biton, aucune menace n'a prise sur ce «boucher» qui ressemble étrangement à son collègue de Patah-Tikwa. Seuls les moribonds ont droit à quelques égards, par la force des choses. Le motif de cette complète indifférence aux survivants est simple: l'argent qui serait nécessaire à l'achat de médicaments est tout simplement détourné au profit de l'armement. Et puis, de toute façon n'est-ce pas, la santé des prévenus est d'une importance tellement secondaire...

J'étouffe. Mon moral qui n'était déjà pas joli joli est au plus bas. Je me dis qu'on va tous crever ici, qu'on va tomber l'un après l'autre comme des mouches si cette putain de chaleur n'arrête pas de monter. Brusquement, j'ai une idée. J'avise un jeune Arabe nouveau venu, très grand et musclé, que rien n'atteint apparemment, sauf le manque de tabac. L'échange est rapide: moyennant deux cigarettes filtre, suprême luxe, il accepte de me ventiler quinze minutes à l'aide d'une vieille serviette de bain. À ce rythme là, j'aurai consommé un paquet complet à la fin de la journée.

Ce système à la fois rudimentaire et esclavagiste pourrait troubler ma conscience. Il n'en est rien. Après tout, mon ventilateur y trouve son compte. J'ai déjà été délesté de la moitié de mon paquet quand la cargaison de jugés réintègre la cellule. Dès l'apparition de Clément, Biton et l'homme au linceul, je m'attends à un certain chahut, peut-être à des bagarres. Rien ne se produit et pour cause. Encore sous l'effet de leurs condamnations, les membres de ce trio planent dans une sorte de léthargie.

Et voilà que subitement l'Arabe à la barbe noire entre en transes. Agenouillé sur le sol, il n'en finit pas de se prosterner en implorant son dieu et en se lamentant. J'invite Biton et Clément à s'asseoir sur mon lit et à me raconter ce qui s'est passé. D'une voix lasse et sans force, Biton m'avoue avoir écopé de trois ans. Pour Clément, la décision finale a été reportée à deux semaines, ce qui lui laisse encore le droit de rêver.

— Et l'Arabe?

— Quatre ans, réplique Clément. Il va être transféré ce soir dans une autre prison au nord du pays.

Biton, lui, doit rester encore quinze jours avec nous avant son transfert. C'est le juge qui en a décidé ainsi et il ignore pourquoi. Ce qu'il sait, c'est que sa femme n'était pas à la cour et que les policiers n'ont même pas pu lui promettre qu'il la reverrait bientôt. Quelle merde!

Je fouille dans mes affaires et je sors ma dernière tablette de chocolat (ou plutôt ma pâte de chocolat) que je leur distribue. Enfin l'heure du souper. Non pas que je me fasse d'illusions sur le menu, mais au moins on va pouvoir sortir durant quelques minutes de ce four.

Une autre sorte de supplice nous attend au réfectoire. Outre le brouhaha qui a doublé d'intensité, les portions font encore plus peine à voir que d'habitude. Elles ont rétréci en volume et augmenté en nombre. Seuls les légumes crus sont relativement aisés à obtenir des cuisines, mais nous ne sommes pas des lapins pour gruger des carottes, ronger des choux-fleurs, des navets ou des patates crus! D'autant plus que nous avons déjà assez de misères avec le menu quotidien qui agit sur nos intestins comme un purgatif puissant, sans qu'il faille nous embarrasser de leurs crudités qui risquent de nous inoculer en prime un virus quelconque aux conséquences encore plus fâcheuses pour notre petite santé.

Et me revoilà dans la cour, flanqué de mon copain Abouhani, essayant de tromper mon ennui par une conversation qui manque plutôt d'entrain. J'avise alors un tout jeune homme, assis sur les marches du corps de garde, qui débite à une vitesse extraordinaire des monologues captivants, du moins si l'on en tient pour preuve l'attroupement qui s'est formé autour de lui. Je comprends très vite qu'il imite un speaker de soccer, sport très en vogue en Israël. Son petit numéro est tellement au point qu'il a littéralement électrisé les spectateurs qui, scindés en deux groupes rivaux, semblent tout près à se taper dessus. Que voulez-vous, on trompe son ennui comme on peut!

Il faut croire que ceux-là y arrivent parfaitement: mes compagnons se sont lancés dans un match fictif opposant Beer-Sheva et Tel-Aviv. Seulement voilà, le speaker commet l'erreur de favoriser Tel-Aviv, ce qui provoque une véritable émeute parmi les partisans de Beer-Sheva. Brusquement, l'un des partisans de ce clan, au comble de l'excitation, assène un violent coup de manche de brosse sur le crâne du commentateur. Sous le choc, les lunettes du malheureux garçon se brisent et le pauvre diable s'effondre dans l'escalier, la tête en sang (il faut vous dire que le fameux manche de brosse est en métal). Hurlements, coups, mêlées. La bagarre est générale. Les deux gardiens sont débordés. Le garde du mirador appelle à la rescousse une escouade de policiers qui péniblement parviennent à rétablir le calme. Examen rapide de la victime: son état, aux dires de nos gardes-chiourmes, ne nécessite pas son transfert à l'hôpital. (Qu'est-ce qu'ils en savent? Il pourrait avoir une fracture interne, mais cette éventualité ne les préoccupe pas.). Toujours est-il que le pauvre gars est lavé à grande eau. On lui donne une aspirine et débrouille-toi! Quant aux lunettes, ni lui ni sa mère qui est veuve n'ont les moyens d'en acheter une autre paire. Il ne voit pratiquement rien sans lunettes. Tant pis. Il en sera quitte pour raser les murs pendant des mois, peut-être des années.

À coups de pied dans le postérieur, nous sommes obligeamment invités à regagner nos cages. Je m'allonge sur mon hamac heureusement innoccupé, écoeuré par toute cette atmosphère d'asile de fous. Je prends un de mes livres, bien décidé à m'isoler dans ma lecture. J'ai à peine parcouru quatre à cinq pages que j'entends des BZZZ BZZZ et des bruits sourds.

Je me retourne, intrigué, et j'aperçois, non loin de mon lit, quatre énergumènes absorbés dans un jeu dont le sens m'échappe encore et auquel je suis cordialement convié. Prudent, je demande d'abord le règlement du jeu en question avant d'accepter d'y participer.

Un grand type costaud, qui fait partie du quatuor, m'affranchit. Règle un: l'un des joueurs tourne le dos aux autres et doit deviner lequel de ses compagnons lui touche le derrière de la tête. Règle 2: lorsqu'il est autorisé à se retourner, les joueurs qui lui font face tentent de fausser ses soupçons en sautillant sur place et en tournant leur index autour de leurs têtes tout en émettant des BZZZ BZZZ. Règle numéro 3 (et c'est là où le jeu prend tout son intérêt): si le type se trompe sur l'identité de celui qui l'a frôlé, comme punition les autres ont le droit (et ils le prennent chaque fois) de lui administrer une claque entre la tête et la ceinture, et ceci à la limite de leurs forces. Variante de la règle numéro 3: si le contraire se produit et que le joueur parvient à deviner qui l'a touché, c'est lui qui a le droit de flanquer une bonne claque à son adversaire. Très simple et amusant, n'est-ce pas?

Inutile de préciser que je n'accepte pas sur-le-champ l'offre de mon interlocuteur, mais je lui suggère de me faire une démonstration avec ses copains. Ils s'exécutent de bonne grâce et j'assiste alors, complètement médusé, à une espèce de sport violent où le nombre de claques distribuées et de BZZZ BZZZ ne se comptent plus. Je les encourage suffisamment pour qu'ils se tapent sur la gueule jusqu'à friser le K.-O. Mes prévisions se vérifient: après une demi-heure à ce rythme-là, mes quatre zèbres cessent leurs folies et, les joues rouges, les mains gonflées, l'air hagard, ils s'affalent sur le sol pour prendre un repos somme toute bien mérité.

Avant de sombrer dans les bras de Morphée, le costaud m'envoye un vague signe d'excuse de la main et me promet que j'aurai la chance un peu plus tard de participer à leur jeu captivant. Je feins la déception et je me replonge avec volupté dans ma lecture.

Deux heures de sommeil léger, c'est tout ce que j'ai pu m'allouer de repos cette nuit-là et les suivantes. Il fallait s'y attendre. La surpopulation, l'accroissement de la chaleur, le va-et-vient continuel, les bavardages, les bagarres, les accrochages verbaux avec les gardes de nuit ne sont vraiment pas propres à vous assurer un sommeil d'ange. Plusieurs journées ont passé, que j'ai vécues tel un somnambule, complètement vidé, comme hébété. L'accumulation de fatigue nerveuse et physique m'a ôté tout réflexe. Mes gestes sont devenus plus lents, j'arrive de plus en plus difficilement à me déplacer et ma maigreur m'épouvante. J'ai l'impression continuelle de glisser sur une pente que je n'aurai jamais la force de remonter, de sombrer dans une sorte de déchéance sournoise, lancinante.

L'autre matin, c'est moi cette fois-ci qui ai demandé à Moshé l'autorisation de manier un peu le balai dans la cour. J'avais un plan, un plan un peu fou: la veille au soir, à travers les barreaux de ma cage, j'avais aperçu des policiers en train de boucler deux très jeunes garçons à l'autre extrémité de la cour. Les hurlements des pauvres petits gars m'avaient troublé, j'avais cru les entendre résonner à mes oreilles toute la nuit. Aussi, j'étais bien décidé à éclaircir le mystère. Restait à me glisser, ni vu ni connu, jusqu'à leur cellule.

Innocemment, je me dirigeai, mine de rien, vers la grille que je pensais être la bonne. En fait, elle donnait sur un long corridor étroit avec, au fond, une grande plaque métallique. Tout d'un coup, je me demandai si ce n'était pas dans ce cachot qu'était cloîtré mon ami Joseph. Sur ma droite, j'avisai une énorme grille aux barreaux d'acier. Je lançai quelques appels à voix basse. Presque aussitôt, deux têtes émergèrent des ténèbres. Par des signes, je les invitai à s'approcher. Mises en confiance, les deux silhouettes vinrent se coller contre la grille. Je pouvais les voir maintenant à la lumière et leur vision me donna un choc.

Ils étaient là, apeurés, frêles et surtout si jeunes, si jeunes que je n'en revenais pas. Le plus âgé devait avoir onze ans, l'autre à peine neuf. Des enfants. J'arrive à comprendre le motif de leur arrestation: ils tripotaient une glace de voiture où se trouvait une petite radio qu'ils convoitaient, quand la police les a surpris. On les a frappés brutalement à plusieurs reprises et puis on les a écroués dans ce cachot. Depuis, ils dorment à même le sol, ils ont peur du noir et ils se serrent l'un contre l'autre; ils n'en finissent pas de hurler et de pleurer, d'appeler leurs mamans.

Les enfants sont restés quelques jours à Beer-Sheva, effrayés par ce qu'ils voyaient, tout tremblants, réclamant leurs mères sans relâche. Enfin, un matin, une femme policier (le genre matrone redoutable répandu dans l'établissement) les a pris en charge et les a emmenés Dieu sait où. Pourtant, l'image de ces deux pauvres bambins me hante encore et je n'ai pas pu oublier leurs cris.

Avant-hier, j'ai pu apercevoir Lise quelques minutes, derrière un judas. Elle s'était acheté une robe neuve, mais elle semblait déprimée. Elle n'avait reçu aucune nouvelle de l'ambassade. Maître Raziuk avait eu un long entretien avec le procureur de Jérusalem et le consul. Mon avocat gardait le moral. Selon lui, j'avais toujours soixante-quinze pour cent de chances d'être expulsé. La question était de savoir si l'ordre d'expulsion parviendrait avant mon audience au tribunal de Beer-Sheva. Dans le cas contraire... mais il ne fallait pas y penser.

J'ai essayé d'encourager Lise à retrouver son optimisme, comme si ma liberté était acquise. J'y ai mis tellement de conviction qu'elle a paru me croire. C'était l'essentiel, même si je ne croyais pas moi-même ce que je racontais. Puis Lise a voulu me remettre des oranges avant de partir. Notre charmant sergent de police refusa net, prétextant que nous en avions suffisamment. Le petit farceur. Nous sommes peut-être au pays des oranges Jaffa, mais il faut croire que le chemin de l'exportation ne passe pas par le bureau de police de Beer-Sheva. À moins que les autorités aient craint pour moi une *over-dose* de vitamine C.

Jeudi. Plus aucune nouvelle de Lise depuis sa dernière visite ni d'ailleurs de mon avocat ou de l'ambassade. Et mon procès qui doit avoir lieu demain, dans la matinée! Je n'ai jamais été aussi déprimé, mon estomac est noué en permanence. J'ai à peu près perdu tout espoir que l'ordre d'expulsion arrive avant ma comparution devant le tribunal. L'atmosphère dans la cellule est devenue encore plus irrespirable depuis l'arrivée récente de trois autres locataires, de pauvres diables accusés de vol, semble-t-il. J'ai de plus en plus l'impression que je vais crever ici, que tous les efforts de Maître Raziuk et de Lise seront inutiles et que, si on me rapatrie, ce sera à titre posthume, sagement allongé dans une boîte en bois solidement clouée.

Durant les heures de promenade, je traîne péniblement la patte, en proie à des soubresauts d'espoir et de désespoir. À certains moments, j'essaye même de me conditionner à l'idée d'une longue détention, sans toutefois y parvenir vraiment. La simple pensée de rester ici durant des mois, peut-être des années, me chavire et me donne envie de vomir; je dois au plus vite essayer de penser à autre chose. Mais à quoi? Tout est fini, irrémédiablement fini. À moins d'un miracle et je n'ai même plus la force de rêver.

Sans compter tout ce que je vois autour de moi qui n'a pas de quoi me remonter le moral. Cet après-midi, tandis que je déambulais mélancoliquement, j'ai aperçu en passant une prisonnière nouvellement arrivée, mijotant dans cette saloperie de cellule où j'avais failli me faire kidnapper mon dîner par des légions de bestioles.

La pauvre femme était là, complètement désemparée, abasourdie, assise à même le sol, les doigts agrippés aux barreaux. Elle lançait des regards implorants aux détenus qui passaient devant son cachot en feignant de l'ignorer. Interdiction leur avait été faite de s'approcher d'elle à moins de cinq mètres et même de lui parler. Son crime? Je l'ai appris un peu plus tard. Il était bien simple: cette femme ne voulait plus cohabiter avec son époux et envisageait de divorcer. Son mari avait refusé et prévenu le rabbinat - sorte de tribunal religieux - qui avait ordonné séance tenante de mettre la main sur l'infidèle pour la faire écrouer. Et voilà, ce n'était pas plus compliqué que ça. Maintenant, la malheureuse était coincée comme un rat. Deux solutions s'offraient à elle: *primo*, réintégrer son foyer et reprendre la vie commune; *secundo:* accepter de plein gré trois ans de prison pour avoir le droit de divorcer. Belles moeurs, n'est-ce pas? De quoi vous donner des frissons dans le dos.

Le soir est arrivé et toujours rien de neuf, aucune nouvelle de l'extérieur. Je me retrouve dans la cour, les jambes molles, la tête vide, tout occupé à me lécher le bout des doigts pour ne rien perdre du peu de graisse que contenait le souper. La voix fielleuse de Chabann, toute proche, me fait sursauter.

— Monsieur Durant, demain matin à 8 h 00, vous serez emmené au tribunal. Dans l'après-midi, vous serez aussitôt transféré dans une autre prison pour y purger votre peine...

Vu l'état dépressif dans lequel je suis plongé depuis ce matin, ces paroles devraient carrément m'assommer. Et pourtant, elles me font l'effet contraire et ma réaction imprévue le cloue sur place.

— Monsieur Chabann, figurez-vous que je suis immunisé contre votre venin et que j'en ai assez des petits messieurs de votre espèce.

L'autre se débine aussitôt, ruminant certainement des idées noires sous son crâne de primate. Quant à moi, je me sens vraiment soulagé, quoique un peu inquiet. Et puis, après tout, à quoi bon? De toute façon, les dés sont jetés.

La nuit est venue et, encore une fois, j'ai dû regagner mon inénarrable couchette, essayer de trouver le sommeil. J'y suis plus ou moins parvenu quand de légers frottements attirent mon attention vers la porte. Dans la pénombre, je reconnais un des détenus de la dernière cargaison, agenouillé sur le ciment en compagnie d'un autre chargé de guetter près de la porte. Que diable peuvent-ils mijoter? Je saisis très vite. L'homme à genoux affûte sur le sol une lame d'acier qui ressemble comme une soeur à celles de nos lits. Pas d'erreur, il se confectionne un couteau. Mais dans quel but?

Je n'ai pas le temps de me perdre en de plus amples conjectures. Voilà qu'un garde retontit devant la grille, se met à brailler comme une âne pour ameuter ses collègues qui ne sont pas longs à rappliquer. Ils sont maintenant quatre, dont mon ami Moshé, à se précipiter sur l'amateur de coutellerie. L'objet criminel est arraché, exhibé à Chemtof qui se déchaîne. Promptement, le coupable est envoyé au *sinok*, plié en deux sous les coups. Mais voilà, une question intrigue ces petits excités: la provenance de l'arme du crime. On nous fait tous lever, mettre à la queue leu leu pendant qu'on inspecte nos couches. Et tout d'un coup, je perds tout sens, mais alors vraiment tout sens de l'humour. La raison tient en ces quelques mots: la lame métallique en question a été soustraite à mon lit. Immédiatement accusé de complicité, me voilà donc prêt moi aussi à prendre le chemin de l'oubliette... et aussi des pires emmerdements. Il faut que je tente au plus vite de me disculper sinon, une fois au trou, je ne donne plus cher de ma peau.

J'ignore encore si mon petit rémouleur avait l'intention de beurrer son pain ou d'égorger un policier, mais une chose est certaine: je refuse d'être mêlé à ses combines. Première tentative: je m'agrippe à mon lit de toutes mes forces et je me mets à hurler mon innocence. Devant les faces rébarbatives de Chemtof et des autres, en désespoir de cause, j'implore Moshé: je le supplie de réagir et de prendre la peine de questionner le fabricant de poignards qui pourrait confirmer mes dires. Moshé hésite. Est-ce qu'il me croit complice, lui aussi? S'il en est ainsi, je suis perdu. Enfin, il s'esquive, revient au bout d'interminables minutes, entame avec Chemtof une discussion longue et qui a l'air laborieuse. Je me remets à espérer et encore plus quand mon ami Moshé m'annonce que l'affaire est classée, du moins en ce qui me concerne.

L'alerte a été chaude et, pour me retaper de mes émotions, j'oblique droit vers la douche. Puanteur ou pas, je m'asperge jusqu'à en avoir le souffle coupé, puis je regagne ma couchette avec l'intention de lire. Après plusieurs essais infructueux, je dois renoncer. Clément, Biton et Abouhani me font signe d'approcher et nous discutons longuement de choses et d'autres. Même si le coeur n'y est pas, leur présence, leurs voix me font du bien. L'aube est près de poindre quand je retourne m'allonger sur mon lit, de nouveau complètement angoissé. Qu'est-ce que demain me réserve? J'entends déjà la sentence du juge, le ricanement satisfait de Chabann. Un cauchemar qui na pas de fin, qui n'aura jamais de fin...

Vendredi, 6 h 00 du matin. Je suis le premier à sortir du lit, complètement sur les nerfs. Mais presque aussitôt, je me rasseois sur ma couche, le coeur battant à tout rompre. Bon Dieu, qu'est-ce qui m'arrive? J'ai la vue complètement embrouillée. Je me dirige vers le robinet et je me dépêche de me passer de l'eau sur les yeux; je me frictionne les paupières, sans résultat. Je commence vraiment à être pris de panique, c'est à peine si je parviens à distinguer le contour des objets, les formes des corps allongés sur les lits. À ce moment, j'entends Moshé qui m'interpelle à voix basse. Je m'approche à tâtons de la grille, je cligne désespérément des yeux, mais ma vision est complètement floue, je le vois comme à travers un brouillard.

— Ça ne va pas, Jean-Louis?

Je secoue la tête négativement.

— Écoute, Moshé, j'ai la trouille... j'ai l'impression que je suis entrain de devenir aveugle.

Moshé me fait signe de m'approcher un peu plus; il me chuchote à l'oreille des paroles réconfortantes: je n'ai pas à m'en faire, ce sont des choses qui arrivent, une simple commotion due à tout ce qui m'est tombé dessus, alors forcément les nerfs craquent, mais ce n'est que passager.

Je remercie mon docteur pour son diagnostic encourageant. Si celui du juge est aussi optimiste, je peux espérer que les brumes vont se dissiper, mais j'en doute.

— Attends, Jean-Louis, réplique Moshé d'un air mystérieux, je ne devrais peut-être pas te le dire, mais il y a une demi-heure, je me trouvais seul au corps de garde quand un courrier spécial en provenance de Jérusalem m'a été remis. Je l'ai lu avant de le remettre à l'officier du matin; je me doutais bien que c'était pour toi... Devine de quoi il s'agit?

Et moi de répondre avec cet esprit de répartie que vous me connaissez: «Menahem Beghin a attrapé la petite vérole!»

Petite plaisanterie qui n'a pas l'air tellement de son goût.

— Tu es fou! Ne parle pas aussi fort! Écoute, je ne devrais pas te le dire mais... Tiens toi bien, c'est ton ordre d'expulsion, mon vieux, signé et qui doit prendre effet dimanche prochain! En attendant, tu vas être transféré cet après-midi à Ramla, une prison proche de l'aéroport Ben-Gourion, tu saisis?

Et comment! J'en oublie ma vue toute troublée, mes compagnons qui commencent à s'agiter sur leurs lits; il me semble que je n'ai pas été aussi euphorique depuis des siècles; pour un peu je me mettrais à danser. Et puis brusquement, je me dis que ça doit être une blague, une sale blague, je demande à Moshé de me répéter six fois, dix fois la bonne nouvelle. Fatigué de se répéter, Moshé me colle littéralement le papier sous le nez. Là-dessus, il me quitte en me faisant promettre de garder le secret et en m'assurant qu'il va prévenir l'infirmier de mes troubles de la vue.

Je me laisse tomber sur mon lit, hébété, ruisselant de sueur. Non, j'ai beau me pincer, je ne rêve pas. Cet avorton de Chabann a donc été pris de vitesse. Maître Raziuk a accompli une performance olympique à laquelle l'ambassade du Canada a sans doute participé. Et Lise... J'imagine déjà sa joie quand elle sera mise au courant. Dans trois jours, je serai libre, libre... Je me répète ces mots à voix basse, encore incrédule et tout abasourdi, sceptique aussi. Comment croire que tout cette saloperie touche à sa fin? Et pourtant, les faits sont là, ils sont là...

La voix de Biton me fait sursauter. En quelques mots, je lui apprends l'état de ma vision. Tout compatissant, il me promet d'aller chercher mon déjeuner au réfectoire et de me l'apporter dans la cellule. Le repas est toujours aussi fade, mais je l'avale goulûment. Tous mes compagnons sont maintenant réunis autour de moi. Ils ont l'air navré de mon état. Lorsque Chemtof arrive, ils se ruent vers lui réclamant à hauts cris des soins pour le *Canadi*. À contre coeur, celui-ci, déjà prévenu par Moshé, m'emmène au corps de garde. Quelques minutes de confusion: mon cher et tendre ami, l'officier Marcel, est là et veut me mettre les menottes et les fers aux pieds tandis que l'infirmier s'y oppose. Chemtof exhibe mon ordre d'expulsion au sbire intraitable qui doit s'incliner. Enfin délesté de cette ferraille, je suis remis à l'infirmier qui m'annonce qu'il va m'emmener dans un hôpital, en ville, pour un examen de la vue.

Nous nous apprêtons à partir tous les deux, presque comme deux bons copains, quand l'ineffable Chabann apparaît, gesticulant comme un diable qui sort de sa boîte. La chère couleuvre est dans tous ses états. Il hurle d'une voix stridente, va même jusqu'à invoquer que mon ordre d'expulsion est un faux, s'oppose carrément à ce que je quitte les lieux. Je me garde bien d'intervenir, mais je n'en mène pas large. Cette scène m'en rappelle une autre tout aussi fâcheuse, au tribunal, devant mon juge guitryesque. Ah non, ne me dites pas que ça va recommencer!... Mais fort heureusement, mon infirmier tient bon, invoque le fait que je ne suis plus du ressort du petit Chabann et qu'il a lui aussi une conscience professionnelle. Quand il me confie à un policier chargé de m'emmener à l'hôpital, l'autre continue toujours de piétiner sur place en hurlant de rage. Je le laisse à sa crise d'hystérie et, la tête haute, fier comme un paon, je m'éloigne en compagnie de mon chauffeur.

Le trajet a été, ma foi, fort plaisant. Mon chauffeur était intarissable. D'origine tunisienne et ayant vécu en France, il m'a dit éprouver une faiblesse pour tout ce qui était latin et pour la culture française. Quant à Kiusi, mon infirmier, il s'est tenu coi et souriant, visiblement satisfait de la petite promenade qui l'extirpait providentiellement de l'atmosphère déprimante de l'arrière-cour du poste de police.

Nous arrivons finalement devant l'entrée de l'hôpital de Beer-Sheva. Nous empruntons un corridor, puis un autre. Kiusi m'introduit dans une salle très claire où m'accueille une jeune femme en blouse blanche. Durant près de vingt minutes, je suis prié d'épeler des lettres sur le tableau, invité à lorgner dans différentes lunettes. Puis je suis de nouveau remis entre les mains de mon policier-chauffeur, en attendant l'arrivée du spécialiste qui est seul habilité à prononcer un diagnostic.

Nous nous sommes à peine assis dans le corridor quand, à ma grande surprise et à ma grande joie, je vois déboucher Lise et mon avocat, flanqués de l'infirmier. En quelques mots, ils m'expliquent qu'ils se sont d'abord rendus au tribunal, puis au poste de police où ils ont appris mon départ pour l'hôpital. Et c'est à moi de leur apprendre la merveilleuse nouvelle: mon ordre d'expulsion a été signé! Le visage de mon avocat s'éclaire; il me confie qu'il avait pour sa part perdu tout espoir. Quant à Lise, elle me saute au cou en sanglotant de joie. Ému, Maître Raziuk tient à me serrer la main.

— Écrivez-moi, Monsieur Durant, une fois rentré au Canada, cela me fera plaisir. *Shalom!*

Et il s'esquive, appelé ailleurs par des tâches urgentes. Kiusi le suit et je reste seul avec Lise et mon aimable chauffeur qui s'est écarté discrètement. Pelotonnée entre mes bras, Lise n'arrête pas de rire, les yeux embués de larmes. Je la serre très fort contre moi.

— Chérie, informe-toi auprès des autorités de l'heure des départs, dimanche ou lundi.

Elle hoche la tête frénétiquement, m'assure qu'elle fera l'impossible pour obtenir une place sur le même avion.

Puis elle me confie un sac de vêtements et de friandises que je dois échanger contre le mien qui renferme du linge sale.

— Ne l'oublie pas! insiste-elle en le déposant à mes pieds.

Je lui assure qu'elle n'a rien à craindre; ce n'est pas le genre de choses qu'on oublie. Lise continue de parler, elle est intarissable, elle me confie son impatience d'aller annoncer la bonne nouvelle à nos amis Luzon. Elle m'affirme que, pour fêter l'événement, elle fera un bon gueuleton et qu'elle rattrapera vite ses trois kilos perdus. Je la sermonne doucement.

— Écoute, tu n'es pas raisonnable, une femme enceinte doit bien se nourrir et...

Brusquement, elle m'interrompt. Son ton a changé. Elle me fixe d'un regard inquiet.

— Au fait, pourquoi es-tu ici?

Je lui raconte mon léger traumatisme visuel, dû sans doute à un excès de tension nerveuse. La preuve: depuis quelques minutes ma vue s'améliore.

Justement, voilà le spécialiste. En un temps record, après un nouvel examen sommaire, il me prescrit une paire de lunettes. Je me demande alors qui de nous deux en a vraiment besoin. En fait, je n'ai jamais eu à porter de lunettes, ni à cette époque ni jusqu'à ce jour.

La prescription en poche, Lise et moi quittons l'hôpital. La séparation n'est pas trop dure. Après tout, je ne dois me replonger dans le milieu carcéral que pour deux ou trois jours au maximum! C'est donc dans la sérénité la plus complète que je quitte mon amie, non sans lui avoir recommandé de me faire parvenir mon costume Cardin pour le voyage.

Et de nouveau, c'est le poste de police de Beer-Sheva et sa chaleureuse ambiance. Vu le retard pris à l'hôpital, on m'annonce que mon transfert pour Ramla a été reporté au surlendemain, le dimanche, ce qui, d'après les dires de mon chauffeur, est préférable car Ramla ne jouit pas d'une bonne réputation. Qu'importe, n'est-ce pas, puisque je n'y resterai que quelques heures?

Regonflé par un optimisme que rien ne saurait ébranler, je suis même admis au réfectoire, bien que l'heure du dîner soit passée. Incroyable privilège: le cuisinier me met entre les mains un couteau et une fourchette et m'octroye une triple portion. J'achève d'engloutir mon repas quand j'aperçois la silhouette de Maurice. Il déambule, le dos courbé, l'air accablé.

— Qu'est-ce qu'il lui est arrivé?
— Pauvre type, soupire le cuistot. Il est comme ça depuis qu'il est rentré du tribunal, il y a une heure. Impossible de lui adresser la parole; il reste muet comme un bloc de béton. Il faut dire qu'il vient d'encaisser vingt-cinq ans de prison. Tout ça pour avoir tiré sur un joueur de cartes qui trichait. Tout à l'heure, il a renvoyé sa femme et ses deux petites filles en leur disant de l'oublier et de refaire leur vie sans lui.

Oui, «pauvre type», pauvre Maurice. Lui qui croyait s'en tirer sans trop de casse et voilà qu'il écope d'un quart de siècle et moi qui m'attendais à dix ou quinze ans, on me fout à la porte!

Je suis à peine revenu dans ma cellule que la nouvelle de mon expulsion fait l'effet d'une bombe. Tous les gars ont l'air heureux pour moi. Cinq minutes après mon arrivée, on est déjà assis en cercle sur le sol, entonnant des chants du répertoire arabe ou hébreu pour terminer par le refrain de «Gentille alouette» que je leur ai appris les jours précédents. Je ne m'arrêterais jamais de chanter; pour un peu je jouerais les comiques, mais je modère ma joie par simple décence. Moi je m'en vais, mais eux...

Un peu plus tard, après la sempiternelle douche répugnante, je décide de m'offrir le luxe de changer de linge de corps. J'empoigne le sac que Lise m'a remis... et j'en retire une chemise incroyablement fripée de laquelle émane une odeur de dessous de bras à vous faire vomir. J'étale le tout sur le lit pour constater avec stupeur que j'ai remis son sac à Lise et repris le mien. Bof, qu'est-ce que ça peut faire? Ce n'est tout de même pas une petite mésaventure de ce genre qui va entamer mon bel optimisme!

Samedi, jour du sabbat. Journée calme, bien que marquée par un incident: dans l'après-midi, un individu fait irruption devant la grille et lance une boulette de papier dans la direction de Biton qui s'en empare aussitôt. Il rayonne. Le projectile en question contient quelques pillules de Valium, mets dont notre colocataire est particulièrement friand.

Soudain une voix hurle à notre attention: «La police!»

L'ex-drogué a juste le temps de bondir dans la douche pour y faire disparaître son butin. À la seconde même où il regagne son lit, trois policiers déchaînés pénètrent en trombe dans notre cellule à la recherche de la drogue qui vient d'être dérobée à l'infirmerie. Biton, le premier suspect sur la liste, bien sûr, est fouillé, puis tous nos effets; les toilettes sont inspectées à la torche électrique. Rien. Les policiers repartent bredouilles; le calme revient. Pas pour longtemps. Quelques instants plus tard, des cris déchirants nous parviennent: l'auteur du délit a été retrouvé et semble passer un mauvais quart d'heure entre les mains des policiers. Nul doute que le pauvre gars est passé à tabac dans un local approprié. Pourtant il ne lâche pas le morceau et c'est couvert d'ecchymoses et de sang qu'il réintègre sa cellule, fier comme un paon.

Dimanche enfin. À l'aube, mon complaisant chauffeur est venu me prévenir en douce que mon costume lui avait été remis par Lise et qu'il m'attendait dans son armoire personnelle. Lise a tenu parole comme toujours.

Quelques heures plus tard, Chemtof m'ordonne de prendre mes effets, car je vais être transféré incessamment. Le moment des adieux est arrivé. Je ne croyais pas que je serais aussi ému. La larme à l'oeil, Biton s'avance, me serre la main, puis c'est au tout du petit Clément, d'Abouhani et des autres. Sans doute m'envient-ils secrètement, mais ils ne le laissent pas paraître. Je les regarde tous une dernière fois en essayant de ne pas trop montrer ma pitié.

— Allons, allons les gars, votre tour viendra à vous aussi.

Ma voix tremble un peu, elle n'est pas très convaincante. Quelques poignées de mains, quelques accolades encore et je me dépêche de sortir. Je ne me retourne pas, mais je les imagine tous massés derrière la grille.

Je sais que je ne les reverrai jamais. Je sais aussi que j'aurai toujours une dette envers eux.

Quatrième partie

Le bunker de Ramla

CHAPITRE 9

21 juillet 1978. Assis sur le ciment de la cour, le dos appuyé au mur, j'attends d'être transféré. Pour la troisième fois. Espérons au moins que celle-là sera la bonne, je veux dire par là la dernière, bien entendu. Mon moral est plus haut qu'il n'a jamais été depuis le début de ce cauchemar. Je n'écoute même pas les policiers, gardiens et soldats qui font un vacarme du diable tout près de moi, dans le corps de garde. Je soupire d'aise et je ferme les yeux. Je me vois déjà demain - ou après-demain au plus tard - débarquant à l'aéroport de Mirabel et me précipitant droit vers le premier bar venu pour m'offrir des dizaines de bières jusqu'à me noyer dedans. Brusquement, je rouvre les yeux, ramené à la réalité par des cris et un bruit de chaînes. Mon vieux copain Joseph est là, à quelques mètres de moi. Les fers aux pieds, il se traîne lamentablement, poussé par des soldats qui visiblement ont l'intention de le passer à tabac. Je ne m'étais pas trompé l'autre jour quand je le supposais cloîtré dans cette espèce de *sinok* au fond du corridor, de l'autre côté de la cour. Je me lève, décidé à m'approcher de

mon ami, quoi qu'en pense la soldatesque. Joseph m'a aperçu, une faible lueur passe dans ses yeux. Comme s'il m'appelait. Je m'approche encore. Rien ne saurait m'arrêter. Un petit soldat imbécile veut se mettre en travers de ma route, mais je l'assassine du regard et le crétin baisse les yeux, décide d'aller passer ses nerfs sur un autre détenu. Doucement, je questionnne Joseph. Sa vue me fait mal, il est encore plus squelettique que la dernière fois et il a peine à rester debout. D'une voix quasi inaudible, il m'apprend qu'il est transféré ce matin même à la prison de Turkarem, celle-là même qu'il redoutait tant.

Je n'ai même pas le temps de lui répondre, de l'encourager d'un mot, d'un sourire. Furieux, les gardes sautent sur moi, m'entraînent sans ménagement à l'intérieur du bâtiment. Le long corps maigre et voûté de Joseph s'éloigne, comme un fantôme. Je ne le reverrai jamais plus.

Quelques instants plus tard, menottes aux poings et fers aux pieds, je me retrouve dans le fourgon cellulaire, maintenu à la cloison à l'aide d'une chaîne. En face de moi, un jeune Arabe condamné à trois ans de prison pour avoir volé quatre dollars à un particulier. Dans l'autre coin, un Israélien à l'air insouciant et qui parle tout seul, indifférent à tout ce qui l'entoure.

Un soldat a pris place avec nous à l'arrière. Il n'arrête pas de me faire des grimaces haineuses depuis le début du trajet et il éprouve un plaisir sadique à me menacer avec son arme ou à mimer ma propre pendaison avec une délectation évidente.

La cité franchie, quelques kilomètres de désert, puis une immense muraille de béton gris surgit devant nous, surmontée de barbelés et de miradors: la grande prison de Beer-Sheva. L'immense cour intérieure relève du cauchemar: l'espace a été quadrillé pour forme des espèces de corridors et de petits enclos délimités par des fils barbelés. Les pauvres types qui sont «invités» à prendre l'air dans ces conditions doivent supporter les rayons implacables du soleil tout en prenant garde de ne pas trébucher sur les clôtures au risque d'y laisser des lambeaux de peau.

Heureusement, nous ne faisons qu'une courte halte dans ce jardin d'Eden, le temps d'y laisser le prisonnier israélien qui se fait prier pour descendre (et on le comprend!). Excédée, la brute qui nous escorte le flanque dehors à coups de crosse. Le malheureux n'a pas le temps de dire ouf. Aussitôt, les gardiens qui l'attendaient impatiemment lui tombent dessus comme des rapaces. Je n'ai pas le loisir d'en voir davantage. D'ailleurs, je n'en ai pas envie. Quelques minutes plus tard, nous avons repris la route du Nord qui serpente à travers les dunes de sable, en direction de Ramla.

Cahotements, chaleur étouffante, grimaces et sarcasmes de notre escorteur, bref le voyage est plutôt pénible et j'ai beau me répéter que c'est la dernière fois qu'on me trimbale ainsi dans un engin blindé, j'ai de plus en plus de mal à garder le moral. Et puis il y a la soif qui commence à me torturer. J'ai l'audace - ou la naïveté - de demander un peu d'eau à mon garde. Pour toute réponse, il m'envoie un gros crachat bien moelleux en pleine figure. Je le fixe avec mépris et je ne baisse pas les yeux. L'ennui avec ce genre d'individu, c'est que lorsqu'il n'arrive plus à vous impressionner, il perd complètement les pédales. Et c'est ce qui arrive à mon aimable escorteur. Le voilà qui se met à hurler et à s'agiter. Toutes ses gesticulations n'arrivent qu'à me faire sourire jusqu'au moment où ce forcené arme son fusil et le pointe dans ma direction, bavant, écumant, les yeux hors des orbites. Prudemment, je détourne les yeux, ce qui a pour effet de calmer un peu mon primate qui affiche un air triomphant et se met à mâcher de la gomme, tout fier de lui.

Finalement, je décide de garder les yeux fermés jusqu'à la fin du voyage, j'essaye encore d'anticiper, de me voir déambulant dans l'aéroport de Mirabel avec Lise à mes côtés, mais je n'y réussis plus que bien imparfaitement. Enfin, après deux heures de voyage, notre véhicule s'immobilise au pied d'un gigantesque mur de béton. Nous voici arrivés à Ramla, gigantesque prison, proche de l'aéroport Ben-Gourion. Une énorme porte d'acier commandée électriquement s'ouvre pour nous laisser le passage. Nous roulons encore quelques minutes dans un dédale de barbelés avant de nous arrêter devant une espèce de bunker. Tout autour de nous, des murs d'enceinte démesurés où trônent des miradors. Quelques bâtisses en béton surnagent dans une mer de fils barbelés. (Encore!) Empêtré dans mes fers, je suis poussé vers une des bâtisses. Une fois à l'intérieur, mon excité de convoyeur me libère enfin de mon carcan et se fait un plaisir de me confier aux responsables de ce délicieux endroit. Escorté par mes nouveaux sbires, je franchis une porte blindée, puis une autre. Quelques secondes plus tard, je suis violemment jeté dans une cellule vide avec mes effets. Pour tout souhait de bienvenue, quelques qualificatifs orduriers et l'ordre d'attendre en silence.

Nouveau coup pour mon moral déjà passablement entamé. La pensée que je ne suis ici que pour quelques heures seulement devrait me redonner du courage. Pourtant, je commence à douter et la vision idyllique de Jean-Louis Durant gambadant tout heureux à Mirabel me semble de plus en plus lointaine.

Deux heures, oui ça fait bien deux heures qu'ils me font mijoter. Je commence carrément à désespérer quand on vient enfin me chercher. Deux sbires m'entraînent, avec leur douceur coutumière, dans une salle lugubre à souhait au plafond fait de pièces de plastique ondulé reposant sur un tapis de fils barbelés. (Eh oui! Encore eux, ça doit être à la mode ici.) Deux gardes m'attendent en ce lieu idyllique. Ils me font vite comprendre que mon accoutrement est à leur goût trop sophistiqué. Je suis «invité» à me dévêtir et à enfiler une tenue des plus baroques: une espèce de jaquette en toile de couleur orange beaucoup trop grande et un pantalon brun, très élimé et beaucoup trop petit. Quant aux sandales en plastique détériorées que je suis prié de chausser, elles ont ceci d'original: ce sont deux pieds droits. Le duo a l'air fort satisfait de ma métamorphose et, dans le même élan, il se dépêche de me saisir tous mes effets ainsi que mes cigarettes. En effet, comme je devais l'apprendre plus tard, il est défendu de posséder la moindre cigarette car le filtre peut, paraît-il, devenir une arme dangereuse si on le traite à la chaleur. Semble-t-il qu'il se ramollit et se durcit ensuite au point de se transformer en une épée... de trois millimètres. À vous de juger si l'on peut fomenter une révolte avec des armes de ce genre. Mais je ne m'étonne plus de rien. Ça fait un bon petit bout de temps maintenant que je nage dans l'absurdité.

Les formalités d'écrou terminées, on me fait sortir de la pièce et poireauter deux bonnes heures dans une espèce de salle d'attente, debout au milieu d'un va-et-vient incessant de policiers constamment sur les nerfs qui n'arrêtent pas de sortir et de rentrer en hurlant, d'ouvrir et de fermer les portes. De quoi vous donner le tournis. Finalement, je suis réintroduit dans le bureau pour répondre à un flot de questions dont je ne vois d'ailleurs absolument pas l'utilité, puisque je suis sur le coup d'une expulsion légale. Ma timide remarque à ce sujet ne fait que stimuler la rage d'un officier qui vient d'arriver. Quand je lui apprends que mon passeport est resté à Beer-Sheva, le type devient complètement dingue. Le teint cramoisi, les lèvres tremblantes, il se met à me déblatérer des injures à qui mieux mieux. Pour lui, même si j'arrive à quitter Israël, je resterai toujours une ordure, un grand criminel, et s'il ne tenait qu'à lui... Blindé contre ce genre de discours, je ne bronche pas, ce qui ne m'empêche pas de penser intérieurement que le serpent de Chabann n'a pas abandonné la partie et qu'il a fait précéder mon arrivée d'une mauvaise publicité. Patiemment, j'attends que le larbin se calme et, ingénument, je le questionne sur la date de mon départ pour le Canada. Sourire sadique et tremblotant de l'officier qui me rétorque avec un plaisir non dissimulé qu'il n'y a rien de prévu pour ma libération dans les prochaines heures et même avant plusieurs jours.

J'essaye de me persuader que ce ne sont que des mensonges et je lui rappelle l'existence de l'ordre d'expulsion qui a été signé par le procureur. Nouveau rictus - un peu plus douloureux cette fois - de mon interlocuteur.

— Cher Monsieur, lorsque je recevrai des ordres précis pour vous faire transférer dans un avion, je les suivrai... bien à contre-coeur (ça, il n'a pas besoin de me le dire, je l'aurais deviné tout seul).

Excédé par ma placidité, mon interlocuteur éructe: - «Vous êtes tous les mêmes en Amérique du Nord! Vous foutez la pagaille partout et ici, en Israël, on ne vous aime pas, sachez-le une fois pour toutes!»

Je demeure stoïque, décidé à afficher un calme olympien: puisque je dois rester durant quelques heures encore à la merci de ces fous, il me faut prendre mon mal en patience. C'est ça, ce n'est qu'une question de patience.

Deux acolytes du larbin surgissent et me conduisent jusque dans une cour minuscule. Quelques secondes plus tard, je suis poussé à coups de pied dans le derrière dans une cellule adjacente. Le décor n'est pas nouveau: deux petites fenêtres au grillage très serré, trois lits doubles métalliques, des murs délabrés où subsistent péniblement des restes de peinture verte, l'inévitable cabinet avec douche et le non moins inéluctable mini-évier avec ses dix centimètres de crasse. Il ne me reste plus qu'à espérer une chose: que cette quatrième cellule soit la dernière.

Cette fois, pas de comité de réception. Allongés sur leurs couchettes, mes colocataires dorment du sommeil du juste. Sur un des lits supérieurs, un homme assez corpulent et au visage poupon ronfle bruyamment. Sur le lit voisin, un autre individu dort également, les mains croisées sur la poitrine, la bouche entrouverte. Reste le troisième lit double que je décide d'occuper. Doucement, en m'assurant de ne pas faire de bruit, je me hisse sur le lit du haut. À peine étendu sur un «foam» décoloré et dégueulasse, je sens les lames d'acier qui me labourent le dos au travers du mince matelas.

Je me retourne sur le côté droit pour changer le mal de place quand je m'aperçois qu'il y a un troisième larron dans notre cachot, allongé juste au-dessous de moi. Un homme de race noire, âgé d'une vingtaine d'années, étendu bien sagement sur sa planche de fakir, les yeux grands ouverts. Je me garde bien de troubler sa méditation et je me résigne à m'allonger sur le dos, décidé à faire le point. J'ai du mal à me concentrer et j'incrimine cette saleté de chaleur qui me fait déjà ruisseler de partout. Autour de nous, les murs suintent et les énormes fissures regorgent d'une multitude de bestioles. Belles nuits en perspective! Sans bruit, je me glisse vers la douche. Là non plus, rien de nouveau: toujours la même puanteur et le même dilemme torturant pour savoir où l'on peut poser ses pieds. Un seul bon point: il y a l'électricité, chose très rare. Mais je me demande aussitôt si je dois m'en féliciter et je décide de regarder toujours vers le haut, si je ne veux pas vomir. Pour couronner le tout, l'eau se met à faire des caprices, devient tour à tour brûlante puis froide, puis de nouveau d'une chaleur insupportable, sans que j'aie manoeuvré l'un ou l'autre robinet. À croire qu'un fou caché derrière le mur s'amuse à vous ébouillanter. Bien entendu, le papier de toilette brille par son absence. Sur le rebord de la petite fenêtre, un savon rouge typique des prisons israéliennes: un vrai morceau de plastique que deux ans d'usage par un régiment tout entier ne réussiraient pas à entamer.

Écoeuré, je me rhabille en vitesse sans m'essuyer. Mais voilà que, par malheur, je fais grincer la porte de la douche en sortant et que le gros au visage poupon se réveille. Il s'asseoit sur son lit, me dévisage en silence. J'arbore mon sourire le plus engageant.

— Bonjour, vous parlez français?

Réaction immédiate du joufflu qui s'avance radieux, la main tendue.

— Nom de Dieu, tu parles si je cause français! Je me présente: Maurice Dumont, je viens de Paris. Je suis bien content de te rencontrer, mon pote, je commençais à en avoir plein le dos de parler petit nègre.

Je décline à mon tour mon identité.

— Je suis canadien, de Montréal... j'attends d'être rapatrié ce soir ou demain.

Mon Français éclate d'un rire énorme à s'éclater la rate. Il n'en finit pas de se tordre. Je le fixe d'un oeil mauvais. Je ne vois vraiment pas ce que ma réplique a de si drôle, ce type est complètement cinglé. Enfin il s'arrête de rire et balbutie quelques mots entre deux hoquets.

— Excuse-moi, mon vieux, ça a été plus fort que moi. Attends, te fâche pas, je vais t'expliquer...

Il prend le temps de s'allumer une cigarette étrange, sans doute de sa confection, m'en offre une avec insistance. Je l'accepte par politesse, toujours sur mes gardes. Pour l'instant ce gros-là ne me dit rien qui vaille.

— Écoute, Jean-Louis, tu me pardonneras si j'ai pas pu m'empêcher de rigoler quand tu m'as servi ton baratin, mais il y a des choses qu'il faut que tu saches. Moi, ça fait cinq mois que j'attends mon expulsion. Avant moi, paraît qu'il y avait un Canadien, ils l'ont fait moisir durant des semaines, avec un Américain qui n'a pas été plus chanceux. Tu vois: on sait quand on rentre ici, mais on sait jamais quand on en sort.

— Et ça peut durer des mois, voire des années avant que...

Sur ce, je me mets à tousser comme un forcené, avec la nette impression que je vais cracher mes amygdales, si ça continue. Nouvel accès d'hilarité de mon Français rigolard. Ma mauvaise humeur redouble.

— T'es pas fou de faire des cigarettes avec des feuilles de lilas séchées? Une saloperie à vous envoyer dans la tombe avant l'âge!

Revenu de sa rigolomanie, Dumont s'excuse derechef. Ces «saloperies-là», comme je dis, sont les seules que j'aurai droit de fumer. Alors autant que j'habitue tout de suite mes petits poumons.

Bon. Un point pour lui. Dans le fond, le type n'a pas l'air d'un mauvais bougre. Je me résous à jouer le jeu et à aspirer son foin avec précaution, par petits coups prudents. Puis j'interroge mon Français sur les avatars qui l'ont fait échouer dans cette oubliette. Il y consent volontiers, tout fier de me conter ses aventures.

— Voilà. En février de cette année, je me pointe en Israël comme touriste, pour trois mois. Je descends dans un des hôtels les plus cotés de Tel-Aviv et je réserve la meilleure chambre...

— Et alors t'as pas pu payer et ils t'ont gardé pour faire la vaisselle?

— Rigole pas, le Canadien, c'est à peu près ça. Moi j'ai toujours été comme ça: je dépense, je dépense tant que j'ai du fric dans les poches. Bref, un bon matin, le patron me demande d'éponger un peu ma note qui commence à crever les plafonds. Seulement voilà, j'ai plus un radis. J'ai bien encore du fric, mais il se trouve à Paris à la banque Barclay's. Tu suis?

J'acquiesce, amusé, tout en continuant de tirer prudemment sur mes feuilles de lilas séchées.

— Et alors?

— Ben le patron a bien voulu attendre que la banque à Paris débloque les fonds, mais en garantie il m'a réclamé mon passeport. Si je refusais, ce salaud appellerait la police. J'ai bien été obligé de le lui donner, mais je suis promis de le lui repiquer à la prochaine occasion. Tu comprends, il avait pas le droit de garder mes papiers! La nuit d'après, je passe à l'action et, ni vu ni connu, je tente de récupérer mon passeport dans un meuble à l'office où je savais qu'il l'avait mis sous clé.

— Et tu t'es fait prendre...

— Ouais. La main dans le sac. Alors là, branle-bas de combat, la direction s'amène et puis la police. Résultat: je me retrouve derrière les barreaux. Ça, on peut dire que j'en ai bavé. Ils m'ont collé un mois dans une prison de Tel-Aviv. C'était l'hiver et laisse-moi te dire que les nuits sont plutôt froides et humides. Et ces salauds-là, ils ne m'ont même pas refilé une seule couverture! Après ces trente jours de merde, je suis passé devant un tribunal grâce à une saloperie d'avocat qui m'a sucé tout le fric, c'est pas tout... J'ai su plus tard que ma sale vache de défenseur était de mèche avec les policiers et le tribunal. Comme je te disais, ils m'ont sifflé mon pognon pour le mettre dans leurs poches à eux et ils ont même pas réglé ma note d'hôtel. Moralité, j'ai été condamné à être expulsé pour non-paiement. Et voilà cinq mois que ces cochons me font attendre dans cette prison de merde. Alors fais gaffe, petit gars, faut pas se réjouir trop tôt; tant qu'ils nous tiennent, on n'est pas sortis de l'auberge.

Là-dessus, je ne peux pas m'empêcher de faire remarquer à mon interlocuteur que son embonpoint est étrange après ces six mois de détention. Dumont rigole doucement.

— Arrête d'imaginer des trucs, Canadien à la noix. Écoute, mon vieux, je pèse maintenant quatre-vingt-sept kilos. Avant j'en faisais cent dix, un vrai costaud. Fais le compte toi-même. Enfin, disons aussi que je me débrouille, histoire de pas dépérir trop vite. De temps en temps j'achète de la nourriture au marché noir. Je t'affranchirai pour ce qui est de la combine si tu veux. Parce que pour ce qui est de l'ordinaire... il y a même pas de réfectoire ici. On mange par terre et, si tu tombes malade, ils s'en foutent complètement, les salauds.

Soupir de Dumont qui ne songe plus du tout à rigoler. D'un signe de tête, il me désigne le Noir qui dort, étendu sur le lit juste en dessous du mien.

— Tu vois ce mec? Il paraît qu'il vient de l'Ouganda. En fait, on sait pas trop qui il est. Il reste toujours comme ça, les mains croisées sur la poitrine. Ici, on le surnomme le lapin.

— Pourquoi?

— T'as qu'à regarder sous son lit. Il y a une boîte de carton qui contient rien que des crudités: des carottes, des choux, des oignons, des navets avec quelques tranches de pain sec. C'est pour ça qu'on l'appelle le lapin.

— Mais on ne lui donne rien d'autre?

Le Français hausse les épaules, m'enveloppe d'un regard de commisération.

— On peut pas dire que tu comprends vite, toi! Deux fois la semaine, un gardien apporte des légumes crus pour le lapin. Plusieurs fois, je lui ai offert mon dîner, mais il a refusé. Tu l'aurais vu, il était complètement paniqué. Il grignote ses carottes parce qu'il a pas le droit de bouffer autre chose, tu piges?

— Ah?

Décidément, le scénario d'asile de fous continue. Je hasarde timidement une question.

—Est-ce qu'il fume?

Dumont acquiesce d'un signe de tête.

— Ouais et ça non plus c'est pas beau à voir. Quand l'envie lui en prend, il se lève péniblement de son lit et il se met à déambuler dans la cour en quête d'une cigarette. Avec les prisonniers arabes ça va, ils ont pitié de lui et la lui donnent sans rechigner, mais avec les Israéliens c'est une autre paire de manches. Ces salauds s'amusent à le faire courir après sa cigarette comme un âne après sa carotte et puis ils jouent à le bousculer et à se le renvoyer comme une balle. C'est dégueulasse et ça peut durer une bonne heure, peut-être plus, sans que les gardes se décident à intervenir. Et c'est pas tout. Il y a les types de l'autre cellule, celle qui donne directement sur la cour, où crèchent Prosper et ses mignons. Eux aussi s'occupent du pauvre Noir. Tiens, rien qu'à y penser, ça m'écoeure.

— Pourquoi? Qu'est-ce qu'ils lui font?

— Ben, le Negro n'a aucune force, alors ces ordures en profitent pour s'enfermer avec lui dans la douche. Ils disent qu'ils vont le laver parce qu'il pue, mais en réalité il leur sert à bien autre chose... Pendant tout ce temps-là le Noir hurle au secours. Ça fait mal de l'entendre et les gardes se bidonnent. Quand le Noir ressort de la douche, il a l'air complètement hébété, comme une loque. Moi je dis qu'à ce régime-là, il va finir par crever; c'est une question de semaines ou même de jours. On l'enterrera quelque part et il n'y aura que Prosper et compagnie pour le regretter. Pauvre lapin. Moi, ça me fait vomir rien que de penser à tout ça.

Il y a un long silence entre nous. Le Noir est toujours étendu sur son lit, immobile. La chaleur suffocante nous colle à la peau. Je me sens très lourd tout à coup.

Dumont se secoue le premier, me tend une de ses redoutables cigarettes.

— Tiens, ça te dirait d'aller faire un tour dans la cellule d'en face? Ça nous changera les idées. Viens, je vais te présenter. Les Arabes sont plutôt sympa, mais fais gaffe aux deux ou trois Israéliens; on les a placés là exprès, c'est des mouchards.

Je le suis sans me faire prier. Après tout, il faut bien passer le temps et puis leur cellule est peut-être un peu plus gaie que la nôtre. En fait de gaieté, je peux repasser. Dès notre entrée, les discussions cessent, les regards se concentrent sur mon humble personne. Un homme au corps maigre et osseux, uniquement revêtu d'un short minuscule et crasseux, s'avance vers nous. Dumont fait les présentations. L'inconnu qui semble être le boss du cachot, me dévisage quelques instants en silence, tout en passant une main décharnée dans sa longue barbe digne d'un partriarche.

— Juif?

Je réponds par l'affirmative. Il me gratifie d'un sourire et m'offre une cigarette. (Encore une. À ce rythme-là, je vais y laisser une partie de mes poumons.) Je suis alors prié de raconter la raison de mon incarcération. Le vénérable au short douteux m'écoute jusqu'au bout, sans sourciller, puis il se met à débiter mon histoire en arabe aux douze autres, tous très attentifs comme des élèves sur les bancs de l'école. Un long silence précède le verdict. Enfin un Arabe plus vieux que les autres m'invite à m'asseoir près de lui, tandis qu'un autre nous distribue, à Dumont et à moi, quelques graines de tournesol en signe d'amitié. Je suis accepté. Le gros Français s'agite à mes côtés. Rien qu'à voir son air et à l'entendre soupirer, je sais déjà que ce qu'il va me dire n'aura rien pour me remonter le moral.

— Nom de Dieu, Jean-Louis, lâche-t-il enfin, si ce que tu as raconté tout à l'heure est vrai, t'es pas sorti du marécage, mon pauvre vieux! T'as un sacré poids sur le dos: espionnage, terrorisme, lettres subversives... D'après moi, pour eux, t'es à mettre dans le même sac que tous ces Arabes. Merde de merde, je te jure que t'es pas sorti du trou!

Et comme si ces charmantes prédictions ne suffisaient pas, mon barbu prend à son tour la parole, m'affirme d'un ton affligé qu'il est du même avis. Quant aux autres, leurs mimiques me donnent la nette impression qu'ils me considèrent comme un demi-frère, sinon comme un frère tout court. Je n'ai qu'une envie: sortir d'ici au plus vite, quitte à retrouver la vision déprimante du pauvre Nègre grignoteur de carottes. Mais inutile de penser à m'éclipser ni vu ni connu pour l'instant. Ils sont tous autour de moi, ils me gratifient de tapes dans le dos, de bonnes paroles. Peut-être bien, en fait, qu'ils tentent de m'assimiler au cas où - on ne sait jamais - mon expulsion serait refusée et que je me retrouverais parmi eux pour des années. Cette seule pensée me donne le frisson. Bon Dieu, mais ce cauchemar ne s'arrêtera donc jamais? Je sursaute. Dumont me tire par la manche, me chuchote quelques mots à l'oreille.

— Écoute, excuse-moi pour ce que je t'ai raconté tout à l'heure. Dans le fond, il y avait peut-être de la jalousie de ma part. Je me disais que ce foutu Canadien, il est bien capable de se tailler d'ici avant moi et ça me faisait mal. Tu comprends, moi, j'attends depuis cinq mois... Allez mec, garde le moral, oublie tout ce que je t'ai dit.

Brave Dumont, ça ne fait rien s'il me conte un nouveau mensonge, ses paroles me font du bien et puis, après tout, c'est vrai que j'ai un ordre d'expulsion en bonne et due forme; je n'ai pas à m'inquiéter. Ce sont les autres qui sont à plaindre, tous ces pauvres types affreusement maigres qui font cercle autour de nous, qui essayent de vivre et d'espérer envers et contre tout. Kiousi, mon juif barbu est le mieux loti de la bande: il ne purge que trois ans de prison volontaire pour avoir le droit de divorcer. Mais les autres... J'apprends que ce sont des Palestiniens pour la plupart, qui ont écopé de peines assez lourdes allant de quinze à vingt ans de prison. Leur moyenne d'âge est d'à peine vingt ans. Bien souvent, leur seul crime a été de se trouver au mauvais endroit lors d'une descente de police. La plupart d'entre eux ignorent complètement la raison de leur internement.

Nous allons sortir, Dumont et moi, quand le vieux Kiousi pose une main sur mon avant-bras et me murmure en me regardant droit dans les yeux: «Écoute, mon garçon, si tu retournes au Canada, restes-y. Moi, mon rêve est de sortir de ce pays maudit. Tu vois, j'ai un reproche à faire à tous les

Israéliens qui arrivent à émigrer à l'étranger. Ils gardent le silence sur ce qui se passe ici dans les coulisses, derrière le décor pour les touristes. Ce sont des lâches. Tu comprends, Canadien, il y a des moments où un homme digne de ce nom n'a plus le droit de se taire.»

J'acquiesce, la gorge un peu serrée. Le regard pénétrant du vieillard est encore fixé sur moi. Puis lentement, il s'éloigne et retourne méditer dans son coin. À grand pas, je me dépêche de rejoindre Dumont dans la petite cour promenade. Un peu d'air me fera du bien.

Quelques minutes plus tard, un cri autoritaire jaillissant d'une des cellules brise nos allers retours incessants. Le Français me donne un léger coup de coude.

— Allez, viens, je vais te présenter à Prosper et à sa bande de pédés. Comme ça tu connaîtras à peu près tout le monde.

J'obtempère et je suis mon guide dans le troisième cachot de notre bunker, un peu méfiant tout de même. Une pénombre anormale règne dans la cellule. J'en découvre vite la cause: la seule fenêtre a été obstruée avec un morceau de vieille couverture. Ajoutez à cela quelques autres détails visuels significatifs et vous conclurez comme moi que les locataires de cette cellule se révèlent être légèrement différents des autres pensionnaires de la prison. D'ailleurs je remarque que mon poupon de Français est mal à l'aise, lui aussi: depuis notre entrée, il se tient un peu en retrait, le derrière en permanence collé au mur.

Devant nous, le décor habituel: les lits doubles métalliques, la douche et les toilettes, l'évier minuscule et crasseux mais aussi - ô miracle! - une petite table et un mini-banc de bois. Sans conteste, quelqu'un jouit ici de certains privilèges. Ce quelqu'un, je l'identifie rapidement, qui se prélasse langoureusement sur une couchette, au fond du cachot.

Dumont me lance en me désignant le personnage: «Jean-Louis, je te présente Prosper.»

Je m'avance, pas trop rassuré, et je tends la main au pacha qui la garde longuement entre ses doigts, accompagnant son geste d'un regard appuyé et d'un battement de paupières.

J'essaye de retirer ma main. Rien à faire. Je tire un peu plus fort, encore plus fort. Enfin il me lâche et prudemment je réintègre ma place, près de l'entrée du cachot, auprès de mon copain Dumont toujours vissé à la cloison.

Ouf, la tante ne semble plus s'occuper de moi. Pendant qu'il s'entretient avec le Français (je n'écoute même pas ce qu'ils se racontent), j'examine notre «Cléopâtre»: environ une quarantaine d'années, assez costaud, le visage mince avec deux petits yeux fatigués, bordés de larges cernes révélateurs du genre de sport auquel ce monsieur se livre durant ses nuits. Pas le genre commode, pourtant, derrière ses manières efféminées. Sans l'ombre d'un doute, ce transfuge de Sodome se double d'un caïd de prison. Heureusement, il a l'air en bons termes avec Dumont qui possède quelques connaissances en électronique et dépanne de temps à autre un petit poste de radio clandestin, propriété exclusive de Prosper. Ce qui le met à l'abri des avances de cette dangereuse croqueuse d'hommes... et moi aussi par ricochet. Du moins, je préfère le penser.

Notre pacha s'étire voluptueusement sur sa couchette. Spécifions ici que son lit est le seul que j'aie vu à la prison qui soit recouvert d'un vieux matelas et de draps neufs, aux couleurs vives, avec en plus - suprême luxe - un coussin et un oreiller. Sur le mur du fond, juste au-dessus de sa tête, quelques photographies d'hommes nus genre «Monsieur Muscle», donnent un cachet d'intimité à ce que Prosper appelle lui-même son «nid d'amour». Cléopâtre baîlle et deux esclaves accourent ventre à terre: un jeune d'environ vingt ans, imberbe et silencieux, les yeux en permanence rivés sur un idole et un autre, répondant au délicieux sobriquet de «Tarass Boulba», petit et trapu, complètement chauve et revêtu d'un short noir délavé.

Bon, la petite visite a assez duré. C'est aussi l'avis de Dumont qui prend congé et s'empresse de sortir dans la cour, suivi par votre serviteur. D'un ton mi-rigolard mi-sérieux, mon Français me confie qu'il commence vraiment à respirer seulement après 9 h du soir, quand la porte de sa cellule et de celle dudit Prosper sont verrouillées pour la nuit. Mais une chose m'intrigue: où et comment notre pacha recrute-t-il son harem?

— Oh! Pour se trouver des donzelles, aucun problème, me répond Dumont. Les gardiens eux-mêmes se proposent pour lui envoyer un ou deux gars d'une autre section. Les types passent quelques heures chez Prosper et puis ils regagnent leurs quartiers et tout le monde est satisfait, surtout les gardes qui en profitent pour se rincer l'oeil durant tout ce temps-là. S'ils se font un peu tirer l'oreille, Prosper leur graisse la patte et je te dis qu'ils se font pas prier alors pour recruter. En tout cas, crois-moi, mon pote, surtout les nuits, t'es mieux de garder les yeux ouverts et les fesses serrées.

Sur ces entrefaites, nous avons regagné notre cachot. Le lapin dort toujours, mais l'autre locataire s'est réveillé. Assis sur sa couchette, il me fixe d'un regard vide.

— Lui, c'est Jimmy, me lance Dumont, c'est un métis. T'as rien à craindre de lui, c'est un brave type.

L'homme est très maigre et a le teint maladif. Il dialogue dans un anglais acceptable et pour cause puisqu'il se dit originaire de New York. D'une voix molle, le mulâtre m'explique qu'il moisit ici depuis plus de huit mois. Son drame: les autorités israéliennes n'ont pas voulu lui renouveler son visa de trois mois et pourtant lui, il voulait rester dans ce pays, vu qu'il est d'origine juive. C'est normal, non?

— Toujours est-il qu'il a écopé d'un an de tôle! rigole Dumont. Faut-il être bête, hein, pour s'obstiner comme ça! Remarque, il a peut-être une sacré bonne raison pour ne plus retourner aux États-Unis. Va savoir, il est pas du genre bavard...

Une chose me turlupine: le dénommé Jimmy est-il un adepte de Prosper?

Et mon gros joufflu de rétorquer, littéralement plié en deux: «Et puis quoi encore? Tu crois que j'endurerais un homo dans ma cellule? En fait de vice, je lui en connais qu'un: il lance des pets et crois-moi l'odeur qui suit est de première force. Prosper l'a demandé une fois, il a été tellement écoeuré par la puanteur de ses pets qu'il l'a renvoyé illico!»

Il faut croire que l'hilarité de mon copain est contagieuse. C'est à mon tour de me tordre, secoué par des spasmes de rire, courant après mon souffle. C'est idiot, je devrais m'arrêter mais je ne peux pas, je n'en finis pas de hoqueter bêtement, j'ai mal à force de rire, tout mon corps me fait mal, je me mets à me rouler par terre et puis brusquement, stupidement, j'éclate en sanglots comme un gamin, des gros sanglots qui ne veulent pas cesser, qui me font tressauter comme un automate en fin de course. Penchés sur moi, Jimmy et Dumont essayent de me remonter le moral et moi je continue à brailler, tout honteux, conscient du ridicule de la situation. Enfin, je parviens à me calmer. D'un geste un peu agacé j'écarte Dumont, je renifle.

— Ça va, ça va, les gars. C'est fini.

— Bah, soupire le Français, t'es pas le seul à capoter ici. Tiens, il y a une semaine, j'ai piqué une crise de nerfs, ça a dû être assez corsé parce que les gardes m'ont traîné à l'infirmerie pour me faire avaler des tranquillisants. Ça s'est passé en pleine nuit. Tu demanderas à Jimmy. Il a eu tellement peur qu'il a failli en faire une jaunisse.

Nos confidences en restent là. Deux personnages, encadrés par des policiers, viennent d'apparaître sur le seuil de notre cellule. Un barbu engoncé dans une vieille capote de l'armée anglaise et un autre gars à l'air timide et apeuré.

Une fois les présentations faites, nos deux nouveaux voisins nous affranchissent sur leur identité et les motifs de leur présence ici. L'homme à la capote est originaire d'Afrique du Sud, mais il réside depuis plusieurs années en Angleterre où se trouvent encore sa femme et sa fille. D'origine juive, il avait voulu venir vivre en Israël, mais s'était vite opposé au régime sioniste. Résultat: il était reparti sagement en Angleterre avec sa petite famille. Seulement voilà: là-bas, il avait continué de dénoncer les méthodes arbitraires appliquées en Israël, ignorant que le sionisme a des oreilles jusqu'à Londres. Bref, quelques années plus tard, notre homme décide de prendre un congé de deux semaines en Jordanie, histoire de faire du tourisme et de jouir du climat. Quelques jours plus tard, sans même savoir ce qui lui arrive, il est reconduit à la frontière israélienne où ces messieurs lui mettent le grapin dessus avec délectation.

Séjours répétées aux *sinoks,* interrogatoires, coups, bref le scénario classique. Finalement, après avoir été condamné - sans l'ombre d'une preuve - à trois ans de prison pour espionnage, il a été envoyé au pénitencier de Chata pour y purger sa peine. Ces trente-six mois, nous confie-t-il, ont été affreux et même s'il refuse - peut-être par pudeur ou par honte - de nous en dire davantage, je le crois sans peine et je repense brusquement au pauvre gars qui avait tenté de se suicider avec une lame de rasoir, à Beer-Sheva. Lui aussi, ils l'avaient envoyé à Chata. Dans quel état se trouvait-il maintenant? Un frisson me court le long de l'échine tandis que notre Anglais barbu termine son récit: voici quelques jours ils l'ont extrait de cet enfer, car son ordre d'expulsion était enfin arrivé. Durant ces trois ans et demi qui ont suivi son départ de l'Angleterre, il a été coupé de tout contact avec l'extérieur. Encore aujourd'hui, sa femme et sa fille ne savent à peu près rien de ce qui lui est arrivé.

L'histoire de son compagnon vaut elle aussi son pesant de moutarde forte. Voici quelques semaines, il a débarqué de Californie pour prendre des vacances au pays biblique. Manque de chance, un soir où il se trouvait dans son *kibboutz,* il a succombé à la tentation de tirailler un peu sur une cigarette de marijuana que lui offrait un de ses voisins. Là-dessus la police fait une descente et voilà notre Américain sous les verrous. Il a quand même réussi à s'en tirer pas trop mal puisque le tribunal a décidé l'expulsion, mais cette histoire lui a coûté tout son argent, soit plusieurs milliers de dollars. L'Anglais et Dumont compatissent. Eux aussi ont été soulagés de tout leur argent. Puis c'est au tour de Jimmy d'intervenir.

— Moi, ils me l'ont volé pendant mon transfert. Je pourrai jamais réclamer, et vous non plus. On n'a aucun recours contre ces salauds.

Un long silence. La soirée se poursuit, morne. On s'efforce de plaisanter, de voir tout ça d'un oeil un peu plus optimiste, mais le coeur n'y est pas. Un garde vient verrouiller la porte de notre cellule. Jimmy et les deux nouveaux ont regagné leurs lits. J'essaye de dormir, allongé sur ma couche. Seul Dumont reste assis, les yeux dans le vague, le dos rond, tirant avec obstination sur son affreuse cigarette de lilas séché.

CHAPITRE 10

Trois jours se sont écoulés sans que j'aie reçu la moindre nouvelle quant à mon expulsion. J'essaye de lutter contre la déprime, le désespoir. J'y arrive de plus en plus difficilement.

Avant-hiver, un Finlandais du nom de Svenko est venu grossir les rangs de notre petite communauté. Svenko est journaliste. Il avait transité par Athènes où il avait laissé sa femme en vacances pendant que lui se rendait en Israël pour écrire un article sur le Sinaï, agrémenté de photos en couleurs. Un jour, alors qu'il avait pris une chambre dans un hôtel réputé d'Eilat, il a été cueilli par les policiers, menotté et conduit à Jérusalem sans explication, avant d'être jugé et expulsé. Le tout en moins de dix jours. Son crime? Avoir pris trop de photos, dont une particulièrement sur laquelle on pouvait nettement distinguer, paraît-il, la silhouette d'un avion de chasse israélien. Conclusion: pour les autorités de ce charmant pays, le Finlandais était un espion. Bref, toujours la même paranoïa.

Grâce aux pressions de son ambassade, Svenko a obtenu l'expulsion, mais tout l'argent qu'il avait sur lui et son matériel photographique demeurent la propriété d'Israël - pratique courante pour s'approprier des devises étrangères. C'est comme ça, un point c'est tout, et il n'y a pas à discuter.

Inutile de dire que cette histoire, comme celle des deux Anglo-Saxons et des dizaines d'autres, n'ont rien pour vous faire voir la vie en rose. Et si ce n'était que ça. Il y a aussi l'absence totale de contact avec l'extérieur, l'espoir toujours déçu qu'aujourd'hui enfin sera le jour de délivrance, l'affreuse impression de solitude, malgré la présence des autres codétenus et surtout les nuits interminables, quand on sait que demain sera semblable à aujourd'hui, que demain on mangera encore sa pâtée comme des chiens, à même le sol, et qu'une heure à peine après cette parodie de repas, la faim recommencera à torturer; quand on sait que demain soir encore il faudra courir de nouveau après le sommeil, tâcher de s'endormir sur des images revigorantes, celles de sa libération et de son arrivée au Canada, par exemple, s'accrocher désespérément à ce qui n'est peut-être qu'un rêve, un rêve de plus en plus inaccessible au fur et à mesure que les réveils déprimants succèdent aux nuits.

En fait, si à Beer-Sheva l'ambiance était déprimante, ici elle est tout simplement démoniaque. Les trois cellules et la cour qui forment le décor de notre univers sont en permanence plongées dans une demi-pénombre. Seul un infime coin de ciel bleu donne une note de liberté au-dessus de notre minuscule cour promenade. Sur tous les murs, la même peinture verte largement écaillée qui laisse apercevoir le gris morne du ciment. Quant aux barreaux d'acier qui entravent les portes, par combien de milliers de mains ont-ils été polis dans des étreintes de désespoir? Le cérémonial des repas est encore plus répugnant que tout ce que j'ai connu auparavant. À heures fixes, un détenu à tête abrutie, aidé de deux acolytes complètement névrosés, va de cellule en cellule en hurlant «Manger! Manger!» avant de nous glisser nos pitances à même le sol comme on donne leur pâtée à des animaux dangereux. Parfois, des cris fusent des groupes massés contre la grille: «Margarine! Margarine!» Et c'est toujours la même réponse: «Demain! Demain!»

Tous les soirs, un peu avant l'extinction des feux, un autre spectacle tout aussi lamentable se déroule sous les auspices de deux policiers dont l'un est censément infirmier. Alors les hommes se pressent contre les barreaux, supplient, menacent pour qu'on s'occupe d'eux, mais rien ne peut émouvoir ce «policier-docteur» qui semble tirer un véritable plaisir de cette cohue implorante; la tête haute, un sourire sadique au coin des lèvres, il repart après avoir distribué quelques aspirines que les détenus se disputent dans leurs cellules comme des chiens.

Hier, à ma grande surprise, on m'a octroyé le droit d'écrire au Canada. On a même poussé l'obligeance jusqu'à me remettre du papier, une enveloppe et un crayon... moyennant une assez forte somme, bien entendu. J'ai payé pour trois lettres et j'ai écrit une bonne partie de la journée, cela m'a fait du bien. Puis j'ai cacheté les enveloppes et je les ai remises, tout confiant, au garde de service afin qu'elles soient mises à la poste. Encore une marque de mon incorrigible naïveté: beaucoup plus tard, après mon retour au Canada, j'allais avoir l'explication de cette incroyable faveur. Ce ne fut que quinze jours après mon retour au Canada que je reçus mon propre courrier, devenu bien sûr complètement inutile. J'avais donc payé pour rien. Et dire que pendant des jours et des jours, à Ramla, je m'étais désespéré du fait que personne ne répondait à mes lettres! Comment ma famille, mes amis pouvaient-ils répondre puisqu'ils n'avaient rien reçu? Belle petite pratique en tout cas pour vous garder au secret et achever de vous saper le moral.

Plus encore que les jours, je redoute les nuits avec leurs corhortes de parasites et d'insectes qui, sitôt la lumière éteinte, profitent de l'obscurité pour mener une corrida invraisemblable. Je me réveille bien deux ou trois fois en sursaut avec un frisson de dégoût pour chasser ces affreuses bestioles qui courent sur mon corps. Peine perdue, je suis à peine rendormi qu'elles repartent à l'assaut. Des fois, j'ai envie de brailler d'énervement. Je me dis que je devrais me raisonner, mais c'est plus fort que moi, je n'y arrive pas. Je crois même que, si je restais ici durant dix ans, je n'y arriverais jamais.

Et puis il y a les réveils au son des haut-parleurs. Je la hais à mort, cette voix impersonnelle qui grésille aux quatre coins du pénitencier, qui nous donne l'heure, le jour, et qui a le culot de nous souhaiter une bonne journée! Suit une petite musique imbécile, propre à vous rendre fou. À peine extraits de leurs rêves nocturnes, mes compagnons, tout comme les détenus des autres cellules, se jettent avec avidité sur le seul remède qui possède à leurs yeux un pouvoir d'oubli: les fameuses cigarettes, au moins cinq fois plus fortes que les Gitanes françaises. À qui mieux mieux, ils aspirent à pleins poumons ces clous de cercueil avant d'être secoués de quintes de toux interminables. Plusieurs fois j'ai essayé de convaincre Dumont d'abandonner cette habitude, lui répétant qu'il se tuait à petit feu. Il m'a regardé en rigolant.

— Tu comprends donc pas que ce serait pire si on n'avait pas ça?

Je n'ai plus insisté. N'empêche que, chaque matin, j'ai envie de me boucher les oreilles pour ne plus les entendre tousser pendant des heures.

La drogue elle aussi est à l'honneur. Comme je ne suis pas moi-même un adepte de ce mode d'évasion, j'assiste donc en tant que spectateur aux séances de «fumage». Avec une gravité presque touchante, les détenus se passent le joint, aspirent tour à tour, les yeux fermés, goulûment, le plus longtemps possible. Avant la séance proprement dite, il y a une longue période préparatoire: méticuleusement, amoureusement, le joint est confectionné à l'aide d'un cornet de papier d'au moins quinze centimètres de long. De quoi encore vous brûler les poumons au dernier degré, ce qui n'empêche pas les gars de se disputer leur tour avec âpreté, quitte à en venir aux poings.

Comment la drogue pénètre-t-elle à l'intérieur des prisons?

L'autre jour, Prosper m'a confié que les *pushers* n'étaient autres que les gardiens. Ils ont des salaires de misère et c'est une façon comme une autre pour eux d'arrondir leurs fins de mois. Entre nous, j'aurais pu le deviner tout seul.

Cet après-midi, invitation en bonne et due forme des Arabes à venir prendre le thé. À peine arrivés dans leur cellule, Dumont et moi sommes priés de patienter: le thé en question n'est pas encore prêt... et il n'est pas près de l'être si j'en juge par ce que j'ai sous les yeux: accroupi dans un coin du mur afin de ne pas être vu des gardiens, un Arabe s'applique à faire chauffer de l'eau sur un réchaud dont le moins qu'on puisse dire est qu'il ne relève d'aucune technique moderne. En guise de poêle, une vieille boîte de conserve tandis que l'énergie calorifique est fournie par une mèche issue d'un serpentin de papier hygiénique enrobé de margarine qui, vous l'aurez compris, fait office d'huile à combustion. Enfin une faible flamme verdâtre commence à vaciller tandis qu'une odeur d'huile rancie vient chatouiller nos narines. Le reste est une question de patience, de patience d'ange car, en grande coquette, l'eau se fait plutôt prier pour se mettre à bouillir. Il faut toutefois rendre cette justice à nos hôtes: leur thé est fort acceptable. Il est vrai qu'ils le payent à prix d'or à l'un de nos aimables gardes-chiourmes.

25 juillet. Quatrième jour de mon séjour à Ramla et toujours aucune nouvelle. Assis sur le bord de mon lit, j'assiste à la séance de «fumage» matinale tandis que les haut-parleurs diffusent leur saloperie de musique lénifiante. Tout à coup, un garde entre dans la cellule, hurle mon nom. Je saute sur mes pieds, les jambes en compote. Vient-on enfin me chercher pour me conduire à l'aéroport?

Je déchante vite. Le sbire tonitruant me remet un duplicata de mon ordre d'expulsion. Un document lui est joint, stipulant que j'ai le droit de faire appel si j'accepte volontairement un an de prison. La combine est douteuse. Si je signe ledit document, non seulement je me colle allègrement quarante-sept semaines de tôle supplémentaire mais je donne aussi à Chabann tout le temps nécessaire pour me servir un coup de vache à sa façon.

Sans tarder, je remets au gardien ce piège ridicule et je lui précise que je reste un adepte de l'expulsion pure et simple. Une fois le garde sorti, j'exhibe à mes compagnons mon ordre d'expulsion, très fier de moi.

— Vous voyez, les gars, que c'est pas du bluff. Ils vont m'appeler d'un jour à l'autre, je vous le dis, d'un jour à l'autre!

Mis à part Gordon, le Californien, les autres n'ont pas l'air convaincu, ils me fixent en silence avec une sorte d'ironie mêlée de pitié. Et brusquement, je mets à les haïr tous. Jaloux, oui voilà, ils sont jaloux, c'est tout! Dumont, comme d'habitude y va de son petit ricanement exaspérant.

— Et qu'est-ce qui te dit que ta petite amie t'a pas planté là? D'après moi, elle est déjà repartie au Canada et...

Je vois rouge.

— Pauvre Dumont! j'aime encore mieux être à ma place qu'à la tienne. T'as quatre-vingt-dix-neuf chances sur cent de recevoir ici ton premier chèque de pension de vieillesse!

Fort heureusement, l'Anglais à la barbe rousse intervient avant que la dispute ne vire à la bagarre.

— Allons les gars, calmez-vous! Dites, si on se fumait une petite cigarette?

Nous convenons, Dumont et moi, que nous nous sommes laissés emporter et nous fêtons notre réconciliation par des quintes de toux à vous sortir le larynx de la gorge. Pour se faire pardonner, Dumont va emprunter le «réchaud» aux Arabes.

— Vous allez voir, les mecs, du thé comme ça, vous en avez jamais bu!

Je suis le premier à encourager mon Français, peut-être parce que je suis honteux de ma petite sortie de tout à l'heure. Je désigne le Noir, toujours étendu sur son lit.

— Et lui? Ça lui ferait du bien de boire quelque chose de chaud.

Avec une douceur et une patience infinies, nous essayons à tour de rôle de réveiller le lapin de sa léthargie. On a beau lui parler, tenter de le lever, rien à faire. Il retombe toujours sur sa couche, le corps complètement mou et le regard vide.

— C'est pas possible, soupire Dumont. Ce qu'il faudrait, c'est lui faire bouffer autre chose que ses saloperies de crudités. Ce gars-là n'a plus de forces, je lui donne pas trois jours avant de crever.

Au repas suivant, nous prélevons chacun un peu de notre portion pour lui confectionner une assiette acceptable. Le problème est de lui en faire avaler le contenu.

Et nous voilà transformés en *baby-sitters* donnant la bouillie à un bébé teigneux et récalcitrant. Le résultat est maigre. C'est à peine si le pauvre Noir a ingurgité quelques grammes. Mais nous ne nous laissons pas abattre. On recommencera demain. L'opération sauvetage est commencée.

Quelques jours plus tard, nos efforts sont récompensés: notre protégé reprend du poil de la bête. Puis il assiste, muet mais assis, à nos conversations. Il se lave lui-même et ébauche parfois un sourire. Mais pour ce qui est de le faire parler, nous devons y renoncer définitivement. Impossible de lui arracher un mot. Et pourtant il n'est ni sourd ni muet. Buté comme un âne, le pauvre type a décidé une fois pour toutes de se tenir le bec clos. Nous n'insistons plus. Le tout c'est qu'il survive, quant au reste... Il fait partie du décor, semblable à un meuble rénové et uniquement décoratif. C'est terrible à dire, mais nous avons fait ce que nous pouvions.

Deux semaines maintenant que je suis arrivé à Ramla. J'ai constamment les nerfs à fleur de peau et pourtant j'essaye de me contrôler, de ne pas reporter sur mes compagnons cette révolte qui m'étouffe. La petite dispute que j'ai eue avec Dumont l'autre jour m'a servi de leçon. Je m'efforce même de me montrer particulièrement aimable avec lui d'autant plus qu'il a l'air sur le bord de la crise de nerfs, ces temps-ci. Hier, il s'en est même pris à un gardien dans la cour parce que ce dernier - encore un salaud de sadique - lui avait assuré qu'il ne serait pas libéré de si tôt. Dumont a perdu tout contrôle, il a saisi le balai-brosse et lui a enfoncé le manche dans l'estomac. Il a fallu l'intervention de Prosper pour que le gardien se décide à «oublier» l'incident. Ce soir-là, Dumont a braillé durant des heures, allongé sur sa couchette, le visage tourné contre le mur.

Après le souper, il paraît s'animer un peu. Il faut dire que nous discutons automobile, sujet qui le passionne. Le voilà qui se lève et, tout en reniflant, se lance dans un véritable discours sur les bielles, pistons, nouveaux modèles de voiture avec leurs avantages et inconvénients jusqu'au moment où le sergent-gardien Bahrouk fait irruption dans notre cellule en hurlant un nom non identifiable.

— C'est moi, les gars, hurle-t-il, la gorge étranglée, c'est moi! Ils viennent me chercher!

Nous nous groupons autour de lui. C'est vrai. Le sergent vient de lui remettre l'ordre de rapatriement. Il a dix minutes pour quitter la prison avant d'attraper l'avion qui le ramènera à Paris. Dumont nous fixe un court moment, comme hébété, puis tout tremblant, il réussit à ramasser ses quelques effets. Nous le regardons s'agiter, muets, figés sur place. Quelques minutes plus tard, il nous quitte sans un mot, sans le moindre petit salut.

Nous restons là, abasourdis et tristes, à contempler son lit aussi vide que nous. Pour lui le miracle s'est accompli, mais pour nous?...

Durant toute la nuit, j'ai haï Dumont de toutes mes forces, dévoré par une jalousie sauvage, presque meurtrière que je ne parvenais pas à maîtriser. Une pensée m'obsédait: la liberté accordée à cet homme, c'était nous qui allions la payer. Le raisonnement était absurde, je le sais aujourd'hui, mais à l'époque, il me semblait évident, aussi clair que de l'eau de pluie, une certitude qui me rongeait jusqu'à l'os, me faisait serrer les poings dans l'obscurité.

Ce matin, je me sens un peu apaisé. Tout à l'heure, alors que je passais devant la cellule de Prosper, le pacha m'a fait signe d'entrer et il m'a prêté trois bouquins pour passer le temps. Je devais vraiment avoir un air lamentable pour que notre Cléopâtre prenne l'initiative de ce geste hautement humanitaire.

Je décide donc de «passer le temps», allongé sur mon lit, un clou de cercueil dans le bec et, entre les mains, un ouvrage traduit de l'anglais qui relate les empoisonnements les plus célèbres de l'histoire d'Angleterre. Ça n'égale pas la liberté, mais on s'évade comme on peut.

Quelques jours plus tard, à l'instar de Prosper notre croqueuse d'hommes, je suis devenu un dévoreur de bouquins. Je n'ai fait qu'une bouchée des empoisonneurs anglais; un autre livre et *Guerre et paix* de Tolstoï ont subi le même sort dans un temps record. Je me retrouve bientôt sans rien à me mettre sous la dent. Brusquement, j'ai une illumination. En restituant son bien à Prosper, j'en profite pour lui demander s'il a de quoi écrire. Décidément, notre Cléo recèle dans son «nid d'amour» un fonds de magasin des plus secret et des plus varié, car j'hérite aussitôt d'un crayon neuf et impeccablement taillé ainsi que de plusieurs feuilles de papier vierge. Juste ce qu'il me faut pour me livrer à mon nouveau passe-temps: dessiner, dessiner tout ce que je vois pour ne plus penser à rien, m'empêcher de devenir complètement dingue.

C'est ainsi que ma carrière d'artiste-portraitiste a commencé. Depuis ce jour, crayon en main, je croque notre bunker, je fais aussi des esquisses de mémoire de Patah-Tikwa et de Beer-Sheva. Mon talent m'a même valu une certaine notoriété parmi mes compagnons et les commandes de portraits affluent. Par bonheur, ma main n'a jamais été aussi bonne, si bien que tous mes modèles se reconnaissent avec satisfaction. Quant à mes honoraires, ils se révèlent très modestes pour un artiste de ma trempe: une ou deux cigarettes, une poignée de main ou une tasse de thé. Toujours est-il que je jouis dorénavant d'un grand prestige. Prosper et ses mignons eux-mêmes me regardent avec une certaine considération et j'irais même jusqu'à dire avec un certain respect.

2 août 1978. Toutes les bonnes choses ont une fin et ma carrière s'est achevée, faute de papier. Cet après-midi, une agitation fébrile règne dans la cour. Jimmy m'en explique la raison.

— Il paraît qu'une assistante sociale des prisons est arrivée au bureau du greffe. L'Anglais et Gordon m'ont dit qu'elle allait les recevoir tout de suite.

En effet, un garde emmène mes deux Anglo-Saxons. Avant de le suivre, le duo se retourne vers nous, l'air triomphant. Dieu sait ce qu'ils attendent de cette entrevue.

Un quart d'heure plus tard à peine, ils reviennent, boudeurs, la tête basse. Puis c'est au tour de mon New-Yorkais de se rendre au bureau du greffe. Avant qu'il ne s'éloigne avec le gardien, je le supplie de rappeler mon existence à la femme mystérieuse. Quelques minutes s'écoulent et mon Jimmy revient, l'air maussade. Je n'ai pas le temps de le questionner, un garde hurle mon nom et je lui emboîte le pas, tout de même un peu méfiant.

Me voilà debout dans le bureau du greffe, face à une femme sans âge, revêtue d'un uniforme, assise sur le seul siège disponible. D'une voix neutre et indifférente, elle me demande ce qui ne va pas. Question que je juge complètement idiote, s'il en est. J'abandonne toutefois l'ironie pour jouer le grand inquiet (je n'ai pas à me forcer d'ailleurs). Je lui apprends mon identité, je la supplie de me donner des nouvelles de Lise, de mon avocat et surtout de me fournir les raisons qui empêchent les autorités de m'expulser.

«L'assistante» n'est précise que sur un seul point: Lise est repartie au Canada le 22 juillet, le lendemain de mon arrivée à Ramla. Je la fixe complètement désemparé.

— Mais pourquoi?

Et très honnêtement - il faut au moins lui rendre ça - mon interlocutrice m'avoue que mon amie a précipité son départ à la suite d'une information erronée des autorités de la prison. Quant au reste, elle me promet de prévenir Maître Raziuk et de s'informer de mon cas à Jérusalem.

— Et vos yeux, comment ça va?

Encouragé par tant de sollicitude, je lui confie qu'en de rares et courts instants ma vue se brouille encore et j'insiste sur la nécessité de revoir un médecin. Long silence. L'assistante n'en finit pas de lire et de relire le rapport médical de l'hôpital de Beer-Sheva. Conclusion: elle décide de m'obtenir une consultation immédiatement.

Je reste éberlué. Pourquoi ce traitement de faveur? Dois-je l'attribuer à mon «physique avantageux» ou à un vague sentiment de pitié? Ce n'est que beaucoup plus tard que je devais apprendre la vérité: ces faveurs étaient le résultat des pressions de l'ambassade du Canada qui ne m'avait pas oublié et qui faisait ce qu'elle pouvait.

J'ai à peine regagné ma cellule que mes compagnons me harcèlent de questions.

— Qu'est-ce qu'elle t'a dit? T'as l'air bien heureux tout d'un coup!
— Regarde-le, on dirait qu'il a eu plus de chance que nous, le veinard!

Fort heureusement, un garde vient me chercher et je le suis, pas peu fier de moi, sous les regards envieux de mes codétenus.

Et me voilà poussé par le geôlier dans un dédale de couloirs, puis invité à franchir une bonne dizaine de grilles à barreaux d'acier et enfin un minuscule jardin hérissé de barbelés. Je débouche dans le cabinet du praticien.

Et quel praticien! Le bonhomme n'a rien pour inspirer confiance, ni en tant qu'humain ni en tant qu'homme de science. Il me lance un coup d'oeil mauvais et adresse quelques mots au gardien qui, sans se faire prier, déballe mon histoire.

D'un bond, mon docteur se met debout, martelle nerveusement la table en bois qui lui sert de bureau. Son diagnostic est très simple et digne d'un grand cerveau: je dois, d'après lui, dormir le plus souvent possible pour reposer mes yeux et, si je n'y arrive pas, l'État hébreu ne désirant pas dépenser un sou pour me fournir des somnifères, je n'ai tout simplement qu'à me masturber jusqu'à épuisement!

Le crétin s'agite encore un bon moment, puis finit par me flanquer dehors avec une moue de dégoût. Et qui plus est mon primate de gardien, croyant devoir copier le *herr doktor*, se fait un plaisir de me raccompagner à mon cachot à coups de pied au cul.

Plus du tout fier de moi, je narre à mes codétenus ma petite aventure. N'ayant plus de raison d'être jaloux, ils se montrent fort compatissants. D'ailleurs, la chose n'est pas nouvelle pour eux. Les uns et les autres ont eu, durant leur séjour dans les geôles israéliennes, l'occasion de rencontrer un représentant de cette clique de toubibs imbéciles.

Les jours passent. Rien à signaler sinon que j'ai confectionné un jeu de dames pour passer le temps et essayer de tromper mon angoisse.

3 août. La nuit dernière, il y a eu un afflux de prisonniers. Au moins une vingtaine. La plupart en cours de transfert, d'autres devant subir leur procès dans la semaine qui vient. On les a répartis dans les trois cellules. Depuis, il règne dans notre cachot une atmosphère de folie stressante. Nous passons des heures sur le qui-vive. Il faut quitter sa couchette le moins possible au risque de la voir envahie par des intrus sans scrupules. Dans ces conditions, se rendre à la douche ou aux toilettes est presque exclus, à moins d'avoir recours à des guetteurs assez musclés et convaincants pour rabrouer les amateurs.

Bien sûr, je ne les blâme pas pour autant, ces pauvres bougres qui sont obligés de dormir à même le sol, faute de place. J'ai même «sympathisé» (bien que ce soit un grand mot) avec l'un d'entre eux, un homme jeune, marié et père d'un enfant, qui avait succombé aux charmes d'une beauté locale, hélas encore mineure. Le Casanova se retrouve en prison depuis trois mois, en attente de son procès, tandis que l'objet de ses rêves regarde grossir son ventre sous la surveillance de sa famille. Reste la pauvre épouse sans ressources, avec un enfant sur les bras. Et notre inconscient de réfléchir sur les faiblesses de la chair.

— Si j'avais su!... n'arrête-t-il pas de se lamenter en se frappant la poitrine.

Dans cet amalgame de bonshommes se trouve aussi un dénommé Prosper, beaucoup plus jeune que notre Cléopâtre, mais tout aussi friand de corps virils. Inutile de spécifier que notre Prosper à nous a vu d'un très mauvais oeil l'arrivée de cette rivale. Devant le danger, le pédé en titre a donné des ordres. Comme son jeune adversaire est malgré tout de la même congrégation, il ne s'agit pas de le massacrer, mais uniquement de modérer ses ardeurs. Résultat: Prosper II a été cloîtré dans la cellule des Arabes où seuls les clients autorisés par la vieille Cléo ont le droit de pénétrer.

Une sorte de *modus vivendi* s'est ainsi établi. Certains soirs, le vieux Prosper recrute, en vrai professionnel du raccolage. Grimé comme une catin, paré de ses plus beaux atours (chemise neuve et slip très coloré), il déambule d'une cellule à l'autre, lâchant de ci de là des clins d'oeil provocants pour terminer la soirée mollement allongé sur sa couche, entouré d'«admiratrices» le plus souvent très jeunes et imberbes.

De son côté, Prosper II lui non plus ne chôme point. Souvent, de mon lit, je l'aperçois dans la cellule des Arabes, très entouré également mais par des mâles au système pileux et à l'âge plus prononcés que les amants de la vieille Cléo. Bref, tout ce beau monde y trouve son compte.

Durant les soirées de recrutement de ces deux messieurs, mes compagnons et moi nous tenons cois, parfaitement impassibles... et sur nos gardes. Je repense alors aux conseils de Dumont et je vous jure que, même jusque tard dans la nuit, je ne dors que d'un oeil.

Durant l'après-midi, j'assiste volontiers à une autre activité plus innocente: les parties de dames. Le véritable champion qui est ressorti vainqueur de toutes ces joutes se nomme Lavon. Technicien en aviation de son métier, notre champion local a été condamné à vingt ans de prison pour avoir étranglé sa femme qui voulait le quitter. Il passe ses journées à contempler, la larme à l'oeil, les quelques photos de famille qu'il possède du temps où il était heureux.

J'ai aussi remarqué un autre détenu, un juif originaire de Russie en cours de transfert lui aussi, tout comme Lavon. Sa seule tenue se résume à un vieux veston trop court et élimé qui cache à peine un bikini rouge tout rétréci. Une paire de godasses trop grandes achèvent le tableau. Un pauvre diable chez qui on ne décèle aucune agressivité. Il traîne en permanence avec lui une vieille poche de jute emplie de chaussures éculées, datant du moyen âge, qu'il tente d'échanger contre des cigarettes. Fatalement, il est devenu la cible de certains détenus qui profitent de sa faiblesse d'esprit. Un soir où il ne voulait pas partager sa portion, une espèce de bagnard à cheveux ras lui a planté les deux doigts dans les yeux avant de lui voler la moitié de sa ration. Personne n'est intervenu. Au contraire, ce fut, de l'avis de la majorité, un spectacle très apprécié.

Et puis il y a Alphonso qui déambule dans le pénitencier avec autant de facilité que le directeur, tout simplement parce qu'il est un délateur doublé d'un provocateur au service des autorités. «Un déchet de l'humanité» comme l'appelle Kiousi. Il nous a visités à plusieurs reprises, s'offrant même à m'initier à la drogue et à me fournir gratuitement quelques grammes de hashish que je conserverais précieusement dissimulé dans mes affaires ou sur moi. Jolie proposition piégée que j'ai rejetée d'emblée. Depuis lors, apparemment dépité, Alphonso m'évite. Il faut croire pourtant qu'il n'a pas oublié ma rebuffade car, l'autre jour, j'ai eu une preuve tangible de sa sollicitude: un matin, Prosper et Tarass Boulba m'ont sorti du lit en vitesse et se sont mis à fouiller systématiquement mes effets. Quelques instants plus tard, l'air triomphant, ils me montrent un petit cube de hashish collé contre une des barres de mon lit. Une vengeance de ce cher Alphonso. Dix minutes de plus et la police découvrait cette saleté... et j'héritais de trois ou quatre ans de tôle avant de pouvoir quitter Israël.

Depuis ce jour, j'ai décidé avec mes compagnons de ne plus laisser entrer personne dans notre cellule sans que l'un de nous n'y soit présent et de nous livrer régulièrement à une fouille systématique de nos lits et de nos effets. Espérons que cela nous mettra à l'abri d'autres mauvaises surprises.

Mais depuis quelque temps, un autre sujet - bien moins angoissant - me préoccupe: mes cheveux et ma barbe ont allongé démesurément et, pour des raisons d'ailleurs plus hygiéniques qu'esthétiques, j'aimerais les couper. Bien sûr, il n'y a pas de coiffeur mondain dans le bunker, mais on m'a parlé des services d'un prisonnier qui fait office de barbier. Pour avoir constaté visuellement sur d'autres têtes les talents de ce tondeur de pelouses, je préfère m'en passer le plus longtemps possible, mais il faut quand même que je trouve une solution. Or, une chose m'intrigue: aucun membre de notre communauté, hormis Kiousi et l'Anglais, n'a de barbe. Moralité: il doit y avoir des séances de rasage clandestines, mais où?

Je décide de tenir à l'oeil mes codétenus. Le premier qui marquera un changement dans l'état de son système pileux devra m'expliquer la cause de ce miracle. Mon enquête porte bientôt ses fruits. Je remarque un jeune Arabe qui reste pendant une bonne vingtaine de minutes dans les toilettes. Pris en flagrant délit de rasage illégal, il consent à me prêter sa lame. L'opération s'avère des plus périlleuses, mais je n'ai pas le choix. Je me mets donc à l'ouvrage, tenant délicatement ladite lame entre le pouce et l'index et brandissant de l'autre main un morceau de miroir à peine suffisant pour apercevoir quelques centimètres de mon visage. Mais allez faire disparaître une barbe particulièrement récalcitrante avec ce rasoir antédiluvien! Je frise la crise de nerfs. À chaque essai, ce satané outil m'arrache un cri... mais pas un seul poil! Au bout d'un temps interminable, j'émerge des toilettes. Dans la cellule, c'est le fou rire général.

Il faut dire que le tableau en vaut la peine: rasé bien imparfaitement, mon visage laisse encore paraître ici et là quelques poils rébarbatifs entre lesquels serpentent de profonds sillons sanguinolents, le tout sur un fond violacé et tourmenté digne des ciels de Vlaminck. Je propose à l'un de mes compagnons de prendre la relève, mais comme aucun courageux ne se présente, le fameux rasoir est remis à son propriétaire qui s'en saisit jalousement et court mettre ce joyau à l'abri des regards indiscrets.

La journée se poursuit, assez morne, après cet épisode tragi-comique. Je somnole, allongé sur mon grabat depuis une bonne heure, luttant comme je peux contre les idées noires qui me trottent dans la tête. Brusquement je me dresse, sur le qui-vive. Je viens d'apercevoir Prosper I qui rôde de cellule en cellule, sans doute à la recherche d'une victime - fait inhabituel puisque jusqu'ici il a coutume de ne recruter qu'à la nuit tombée. Il faut dire que depuis quelque temps, Prosper est particulièrement de mauvaise humeur. Depuis le jour précisément où le Finlandais Svenko a exhibé son torse nu au jet d'eau du robinet de la cour, et où notre Cléo y admira un véritable chef-d'oeuvre de tatouage qui reléguait le sien au rang de «croûte». Prosper essaya bien de palier cette infériorité artistique par de nombreuses séances de culture physique qui devaient lui donner une apparence d'Apollon irrésistible, mais il dut vite abandonner ses puissantes démonstrations, complètement épuisé. Rien d'étonnant donc à ce que notre ex-dieu grec décide d'épancher son mécontement en se choisissant une nouvelle proie.

Mais mon inquiétude se transforme carrément en angoisse quand je le vois déboucher dans notre cachot, flanqué de ses deux mignons. Le trio s'avance, passe près de moi sans paraître me voir et va prendre place sur le lit du pauvre Gordon qui feint de dormir profondément.

Un silence de mort règne dans la cellule. Lentement Jimmy se lève, préfère s'éloigner dans la cour. Je demeure comme pétrifié, essayant de comprendre les raisons du choix de la redoutable Cléo. Il est vrai que Gordon a un physique et une allure légèrement féminins, il est vrai qu'il est imberbe et qu'il a une démarche dansante, mais je suis sûr qu'il ne s'agit nullement d'un homosexuel et encore moins d'un travesti. Prosper est de l'avis contraire et, cherchant peut-être mon approbation, il m'explique tranquillement que le malheureux Gordon est une femme et non un homme et qu'il doit donc passer à la casserole. Mes protestations ne sont d'aucun effet et je sais déjà que, si je me plains à un garde, aucun ne consentira à intervenir. De toutes ses forces, Gordon essaye de repousser les avances des trois tapettes. Finalement, le trio l'empoigne solidement et l'entraîne de force dans le bordel. L'entrée en sera interdite deux heures durant.

Jimmy a réintégré la cellule et, pendant tout ce temps, nous ne parlons pas, envahis par la même rage impuissante contre cette brute de Prosper, contre les gardes complices de ces saloperies, contre le système tout entier. Enfin le pauvre Californien réapparaît, regagne sa couchette comme un somnambule. Je voudrais lui dire quelque chose, mais je n'y arrive pas. Je m'avance vers lui. Doucement, je pose ma main sur son épaule.

— Gordon, ça va, mon vieux?

Lentement, il acquiesce d'un hochement de tête, puis brusquement ses nerfs craquent.

— Maudit pays! hurle-t-il en sanglotant, maudit pays!

Toute la nuit, je l'ai entendu pleurer, recroquevillé sur lui-même comme un enfant.

Le lendemain, une surprise nous attend. Très tôt, un garde vient nous aviser qu'il est interdit de sortir de notre cellule. Intrigués, nous nous massons derrière la grille. Un groupe de policiers est entré dans la cour et se dirige vers le cachot de Prosper et de ses esclaves. Des bruits de portes qu'on ouvre, de clés qui tournent dans la serrure, les échos d'une bagarre, la voix de Cléo tremblante de colère... puis le silence. Dès que nous sommes autorisés à sortir, nous nous précipitons. L'ex-bordel est complètement vidé de ses habitants.

Ce n'est qu'un peu plus tard que j'ai appris ce qu'étaient devenus Prosper et ses compagnons. Ils avaient été transférés dans une autre section de la prison où, paraît-il, la surveillance est plus sévère. Un autre garde nous a expliqué que tout cela n'était qu'une mise en scène pour évacuer ce beau monde vers une prison plus supportable, à la demande même de Cléo. Qu'importe. Une seule chose compte: maintenant nous pouvons respirer et Gordon a retrouvé le sourire.

Aujourd'hui, nous avons l'insigne honneur de recevoir la visite du directeur du pénitencier et de son état-major. Ces messieurs louvoyent nonchalamment de cellule en cellule, l'air satisfait. L'Anglais a bien essayé d'attirer leur attention sur notre cas et surtout sur les difficultés que nous éprouvons à communiquer avec l'extérieur, mais la tentative n'a rien donné. Monsieur le directeur s'est contenté d'esquisser un sourire forcé et s'est éloigné en silence. La visite n'a duré que cinq minutes, juste le temps de constater que tout est pour le mieux dans le meilleur des mondes.

Deux autres jours se sont écoulés depuis cette sinistre pantomime. Las de faire les cent pas dans la cour, je réintègre ma cellule quand l'Anglais accourt vers moi, tout énervé, m'invite à m'asseoir près de lui sur son lit.

— Qu'est-ce qu'il y a?

L'Anglais pose un index sur sa bouche.

— Chut, parle pas si fort!... Écoute, grâce à un ancien copain que j'ai connu à Chata et qui est retourné en Suisse, j'ai réussi à joindre la Ligue des Droits de l'homme.

— Ah? Mais mon pauvre vieux, si tu crois que...

Vexé par mon scepticisme, oubliant toute prudence, il se met à hurler en gesticulant.

— Parfaitement! Le copain en question devait m'envoyer un colis de bonbons et de biscuits et on a convenu d'un code!

— Oui... À supposer que le colis puisse venir jusqu'ici.

Ma réplique a l'art d'enrager mon interlocuteur.

— Laisse-moi finir! vocifère-t-il au bord des larmes. Le colis est arrivé, mon vieux; il est au bureau du greffe et on doit me le remettre ce soir!

Je n'ose pas lui objecter que tout n'est pas joué et qu'il reste encore au fameux colis à passer l'inspection, ce qui ne m'empêche pas de demeurer sceptique, quoi qu'en pense mon ami. Je dois pourtant convenir, quelques heures plus tard, que l'Anglais avait raison. Le soir venu, il reçoit effectivement son colis et en partage généreusement le contenu avec nous. Au préablable, il a pu déchiffrer son message dans tout l'amalgame de papier d'emballage et il nous le transmet triomphalement: demain midi, une représentante de la Ligue des Droits de l'homme doit venir en personne à Ramla pour enquêter sur sa situation et celle aussi de tous ceux dont l'expulsion tarde à venir.

Et voilà que moi, l'incrédule, je suis encore plus énervé que mon Anglais! C'est tout juste si j'ai pu dormir deux heures de toute la nuit. Enfin, le jour se lève. L'attente commence. L'heure du midi approche, toujours rien. La matinée s'est écoulée, désespérante, avec un seul intermède: vers 11 h, un garde est venu nous enlever notre lapin sans un mot d'explication. Midi est passé depuis longtemps et toujours aucune visite pour l'Anglais qui n'en finit pas de tourner en rond comme un fauve en cage.

13 h 30. Enfin un bruit de pas qui s'approchent de notre cellule. L'Anglais se précipite. Ça y est, il va être convoqué, il en est sûr! Mais ce n'est que le lapin que deux gardes ramènent. Avant de regagner sa couche comme un automate, le Noir remet à l'Anglais un papier sur lequel sont écrits quelques mots en anglais. Fébrilement, notre compagnon parcourt les quelques lignes, lève vers nous des yeux hagards.

— Les gars, c'est pas possible, c'est pas possible!

Le papier passe de main en main. Ouais, il n'y a pas à dire, on s'est bien laissé avoir. Le représentant en question est bien venu à la prison, mais les autorités ont décidé de lui envoyer le lapin comme interlocuteur, sachant que le dialogue - et donc toute révélation fâcheuse - serait impossible. Le visiteur s'était sans doute rendu compte de la duperie puisqu'il avait fait parvenir à l'Anglais ces lignes. Toujours est-il qu'une nouvelle fois tout s'écroule et qu'on se retrouve encore plus déprimés qu'avant, avec une terrible envie de brailler au fond de la gorge.

L'après-midi entier, j'ai marché dans la cour, comptant mes pas avec la dernière énergie pour me vider l'esprit. Je ne sais même plus depuis combien de temps je vire et revire entre les quatre murs de cette saleté de cour quand un prisonnier arabe s'approche de moi. Le type dit s'appeler Hussein et il m'invite à le suivre dans sa cellule où il m'offre un thé maison.

La présence d'Hussein me fait du bien. Ce grand gars brun à l'épaisse moustache noire a l'air si détendu, si chaleureux. Je constate avec surprise qu'il n'ignore rien de mon cas ni de celui de mon ami l'Anglais.

— Vous savez, réplique mon nouvel ami, nous possédons notre réseau d'information à l'intérieur des pénitenciers, secret bien entendu, mais efficace. Il faut vous dire que nous avons des hommes à nous dans le personnel policier. Nous avons même deux officiers de police qui nous informent, vous savez, ceux qui possèdent une sorte de montre assez spéciale.

La conversation roule ensuite sur d'autres sujets et Hussein perd son beau sourire. Son ton est devenu grave.

— Pour l'instant, nous travaillons très fort pour savoir ce que sont devenus quelques-uns de nos compagnons qui ont totalement disparu depuis leur arrestation.

— Ils ont peut-être été mis au secret, dis-je timidement.

Hussein secoue lentement la tête en signe de dénégation.

— Grâce à notre système d'information, nous saurions alors dans quel cachot ils sont détenus. Non, je vous le répète, ils ont disparu complètement comme s'ils n'avaient jamais existé.

Et brusquement, Hussein me fixe droit dans les yeux.

— Et la raison en est qu'ils n'existent plus! ajoute-t-il d'une voix forte. J'ignore la méthode que les sionistes ont employée, mais ces hommes sont morts et on ne retrouvera jamais leurs corps.

Je reste pétrifié. Durant quelques secondes un lourd silence pèse dans la cellule. Mais Hussein, qui s'en veut peut-être de m'avoir effrayé, sourit de nouveau, me tapote l'épaule comme pour me rassurer.

— Allons, Monsieur Durant, souvenez-vous que le sionisme est une chose et le peuple juif, une autre.

J'ai quitté Hussein et ses frères palestiniens et j'ai réintégré ma cellule, encore plus abattu qu'auparavant. Toute la soirée, mes compagnons et moi sommes demeurés muets et, lorsque nous avons regagné nos couchettes respectives, le sommeil lui-même n'a pas voulu de nous.

Je crois que, cette fois, nous touchons le fond du gouffre. Le désespoir ne nous quitte plus, il est au rendez-vous le matin et nous poursuit jusque dans nos rêves. L'Anglais et Gordon ne parlent pratiquement plus. Ils passent leurs journées allongés sur leurs lits, les yeux grands ouverts, fixés sur un point vague et lointain. Jimmy a été très malade. Ils ont fini par l'emmener à l'infirmerie, mais sa fièvre n'est pas encore tombée. Il ne quitte pratiquement plus sa couche lui non plus et il me semble qu'il délire de plus en plus.

16 août. Ving-cinq jours que je suis enterré dans ce bunker et moi qui croyais n'y devoir loger qu'une nuit! Je n'ai toujours reçu aucune nouvelle de Lise, de Maître Raziuk ni de l'ambassade. J'ai la sale impression que tout ce monde-là - à part Lise, bien sûr - m'a oublié volontairement, allègrement, parce que je les embarrassais, parce que j'étais le seul à ignorer que mon cas était désespéré et que j'étais foutu d'avance.

Ce soir, Gordon et l'Anglais sont un peu sortis de leur torpeur. Après tant d'heures de mutisme, ils avaient envie de parler. Moi pas. Le seul fait de répondre à leurs questions m'irritait au plus haut point. Je ne désirais qu'une chose: être seul et ne penser à rien. Finalement, ils ont renoncé à entamer la conversation et le silence est retombé dans la cellule.

J'essaye en vain de dormir. Je sais déjà que j'ai devant moi la perspective d'une autre nuit blanche et, comme par exprès, ces maudites bestioles n'ont jamais été aussi nombreuses et «achalantes».

Cinquième partie

La cage ouverte

CHAPITRE 11

17 août. Encadré par deux gardes, je regagne ma cellule, les jambes flageolantes, un sourire béat sur les lèvres. «C'est impossible, c'est pas croyable!» Je n'arrête pas de répéter ces mots, je les crie sans même en prendre conscience. Cinq jours. Il ne me resterait plus que cinq jours à moisir ici!

Et pourtant, la journée n'avait pas commencé sous d'heureux auspices. Je m'étais levé terriblement fatigué et nerveux, pestant contre moi-même, contre les autres, contre cette affreuse chaleur humide que je ne pouvais plus supporter. L'Anglais, tout à coup bavard, ne me lâchait plus avec ses histoires de famille qui me semblaient soudain idiotes et puéri les; quant à Gordon, il finissait par me saper le moral avec ses paroles douceâtres, ses gestes délicats et féminins. J'aurais voulu qu'ils se taisent, qu'ils me laissent tranquille et je me suis mis à les rabrouer pour un rien. Puis je me jetai sur mon grabat, de très mauvaise humeur. J'entendais Jimmy dont la fièvre avait un peu baissé et qui intervenait auprès de mes camarades pour excuser mon agressivité. Ils m'entouraient tous, ils avaient l'air navré. Finalement, je me suis redressé sur mon lit et je leur ai demandé de me pardonner mon accès d'humeur.

— Dans le fond, on est tous dans le même sac, hein? a lancé l'Anglais.

Nous nous sommes efforcés de rire et chacun est retourné s'asseoir sur sa couche, enfermé dans son propre désarroi.

Cette chaleureuse ambiance de fête atteignit son apogée lorsqu'au retour d'un nouvel entretien avec la fameuse assistante sociale, l'Anglais et Gordon se laissèrent aller à une crise nerveuse des plus inquiétantes.

— Sale bonne femme! Sale bonne femme!

C'est tout ce que je pus sortir d'eux. Une chose était en tout cas certaine: cette seconde entrevue ne leur avait pas donné le plus petit signe d'espoir. Puis ce fut au tour de Jimmy. Il revient, tremblant de fièvre et complètement désemparé. Je ne pus le questionner, lui encore moins que les autres. Il traversa la cellule sans paraître nous voir, alla s'étendre sur son lit et sombra aussitôt dans une léthargie dont rien ni personne n'aurait pu l'extraire.

Et moi? Est-ce que j'allais revenir moi aussi, comme les autres, complètement *groggy*? Le suspens fut de courte durée car, quelques minutes après le retour de Jimmy, j'entendis hurler mon nom: l'assistante sociale voulait me voir immédiatement.

Je suivis le garde, terriblement inquiet. «En avant mon petit Jean-Louis, me dis-je, pour le pire et le meilleur!» Et puis après tout, l'important était que ça bouge en bien ou en mal, que cet étau d'incertitude se desserre une fois pour toutes!

Dans le bureau, la même femme était là, qui m'avait reçu deux semaines plus tôt.

— Asseyez-vous, Monsieur Durant.

Je m'exécutai en notant ce changement apporté au protocole: cette fois-ci, on m'offrait un siège. Était-ce un bon signe? Allons, il ne fallait surtout pas que je me monte la tête! Je remarquai sur la table un paquet de cigarettes filtre et - ô surprise - il m'en fut offert une, feu compris! Que signifiait tout cela? Pouvais-je en conclure que...

Un temps interminable s'écoula. Mon interlocutrice n'en finissait pas de feuilleter des documents. Je me retenais pour ne pas lui hurler aux oreilles: «Alors dites-le! C'est une bonne ou une mauvaise nouvelle?»

Et l'autre qui continuait de consulter tranquillement sa paperasse! Pour un peu, je lui aurais sauté dessus pour la forcer à ouvrir la bouche. «Allez, parle, parle donc. Je t'en supplie, parle, dis quelque chose!» Enfin elle se décida et se mit à débiter un long monologue qui, au fur et à mesure qu'elle parlait, me coupait le souffle et les jambes. Je ne retins que la dernière phrase.

— En foi de quoi j'ai eu la confirmation du procureur et des Affaires étrangères que vous serez rapatrié le 21 août, c'est-à-dire mardi de la semaine prochaine.

— Et... euh... tout... tout cela... (Bon Dieu, voilà que je me mettais à bafouiller à présent!)...euh, tout cela est-il officiel, je veux dire certain ou bien...

La réponse fut catégorique, infiniment rassurante, si apaisante que j'aurais voulu qu'elle me la répète une centaine de fois.

— Absolument, Monsieur Durant. Vous effectuerez le voyage sur un avion de la compagnie *Elal*, avec un arrêt en Suisse; votre passeport vous sera restitué le matin même de votre départ. J'espère que vous êtes satisfait. Au revoir, Monsieur, et bonne chance!

Voilà! Et pourtant même maintenant, alors que je réintègre ma cellule, mal d'aplomb sur mes jambes en coton, je n'arrive pas à y croire. Cinq jours... dans cinq jours je serai dans l'avion, en route pour le Canada! Et puis brusquement, l'incrédulité laisse place à la joie, une joie totale, exubérante. Je tremble d'excitation, j'ai envie de crier, de me vider les poumons dans un long hurlement féroce, triomphant.

Mon excitation tombe un peu lorsque je franchis le seuil de ma cellule. Mes compagnons se trouvent toujours dans le même état de prostration et je me demande si la nouvelle de mon prochain départ ne va pas les achever complètement.

Le premier, Gordon sort de sa torpeur.

— Et alors, comment ça s'est passé?

Je l'affranchis en une seconde, un peu anxieux de sa réaction. Mais non. Gordon semble radieux, émerveillé; il me serre la main à n'en plus finir.

— Je suis bien content, mon vieux, parce que si tu pars dans cinq jours, logiquement je devrais te suivre de peu.

Peut-être est-il dans le vrai. Toujours est-il que je l'approuve énergiquement et que nous allumons un clou de cercueil pour fêter l'événement. Mais seul le Californien semble partager ma joie sans réserve. Les autres opinent faiblement de la tête. Jimmy se tait, l'air boudeur. L'Anglais est sceptique.

— Attends d'être dehors pour y croire. Tu sais, il ne faut pas...

...Vendre la peau de l'ours avant de l'avoir tué, oui je connais le proverbe! Et alors? Est-ce ma faute à mois si je dois partir de ce trou avant eux? Mais je ne leur en veux pas, ils expriment leur jalousie comme ils le peuvent et leur envie est bien compréhensible. Il n'empêche que je balaye secrètement leurs objections du revers de la main et que je préfère rêver en couleurs. Après tout, Dumont est bien parti, lui!

Un vacarme provenant de la cour interrompt nos discussions: un nouvel arrivage de prisonniers a envahi le bunker. Même scénario que la fois précédente. En quelques minutes, notre cellule se trouve investie par un groupe bruyant et hétéroclite de détenus. On y trouve de tout, y compris des homosexuels peut-être moins spectaculaires, mais tout aussi zélés que l'ex-Prosper et compagnie. Les fumeurs de drogue eux non plus ne manquent pas et, à peine installés, ils s'en donnent à coeur joie à une cadence telle qu'il nous faudrait des phares antibrouillard pour percer la brume épaisse et enivrante. Un vrai supplice pour les yeux et les poumons. Mais il y a pire encore: les braillards qui s'acharnent à vouloir communiquer avec d'anciennes connaissances à travers les murailles de béton. Je vous jure qu'à la longue ce petit jeu qui consiste à hurler de toutes ses forces et à toute heure du jour ou de la nuit a de quoi vous faire glisser malgré vous vers la congrégation des étrangleurs sans scrupules.

Ajoutez à cela la chaleur devenue intolérable et vous en viendrez à vous demander, en observant ce capharnaüm, combien de temps un homme normal peut le rester. Ce soir-là, pour couronner le tout, une bagarre a éclaté, déclenchée sous un prétexte futile par ce cher Alphonso, entre les détenus et le corps policier. Bien des pauvres diables se retrouvèrent au «trou noir»... mais pas le bel Alphonso, bien entendu.

Au bout de trois jours, nous avons tous les nerfs à vif. Entassés comme du bétail, affamés, privés de sommeil, nous ne contrôlons plus qu'imparfaitement nos réactions. Jimmy hurle pour un rien, lui qui était si doux montre les dents dès qu'on le contrarie; l'Anglais lui-même a perdu son flegme britannique; l'autre soir, il a administré une gifle retentissante au pauvre Gordon, complètement suffoqué. Il s'est quand même excusé un peu plus tard: il s'était trompé de victime dans l'obscurité. Ce n'était pas le Californien qu'il visait, mais un intrus qui s'était mis à piger à pleines mains dans sa pâtée.

Des bêtes, voilà ce qu'on a fait de nous.

Troisième nuit dans cet enfer. Je me tourne et me retourne sur mon matelas de mousse puant. Brusquement, je me redresse. Tout près de moi, des cris étouffés, des corps qui s'agitent dans l'obscurité. D'autres ombres se lèvent, des bruits de coups... Le calme revenu, on m'explique les causes de l'incident: un des nouveaux détenus dénommé Doda, grand échalas à la mine patibulaire, a tenté d'étrangler deux prisonniers qui lui étaient d'ailleurs totalement inconnus et qui ne lui avaient apparemment rien fait. Quelques bons coups de poing en pleine face ont réussi à freiner ses instincts meurtriers. Il se tiendra au moins tranquille jusqu'au matin, mais après?

Comme on pouvait s'y attendre, la nuit suivante, notre espèce d'étrangleur professionnel récidive. Cette fois c'est sur son plus proche voisin qu'il a jeté son dévolu. Inutile de dire que nous ne dormions tous que d'un oeil. Le forcené est vite maîtrisé et renvoyé jusqu'à l'aube au pays des songes.

Pas question d'endurer plus longtemps cet obsédé de la strangulation. Et pourtant, croyez-le ou non, malgré les plaintes qui affluent le lendemain aux oreilles de l'officier de garde, notre maniaque ne prend pas le chemin de l'asile ni celui de la bastonnade.

— Qu'est-ce que vous voulez qu'on en fasse, nous? Débrouillez-vous avec lui!

Voilà l'unique réponse que nous avons réussi à obtenir. Une seule solution: organiser notre autodéfense. Il est donc décidé à l'unanimité que les plus proches voisins du dangereux énergumène auront mission, à la moindre alerte, de l'assommer et de l'attacher solidement sur son lit.

La journée s'est écoulée, morose, ponctuée cependant par un nouvel incident: depuis quelque temps, Jimmy s'est mis dans la tête d'évangéliser ses codétenus juifs et musulmans. Avec une obstination fébrile, il va annoncer la bonne nouvelle de cellule en cellule, en vain semble-til. Son auditoire, composé d'Arabes et d'Hébreux, ne lui concède aucun point et demeure définitivement rétif à ce prosélystisme bénévole. Résultat: Jimmy s'énerve et, aujourd'hui, il a un peu forcé la note. Il a tant parlé - ou plutôt crié - dans le désert qu'on l'a retrouvé complètement aphone et en proie à une terrible crise nerveuse. Nous avons dû le passer de force sous la douche, puis le ligoter sur son lit à l'aide d'une vieille couverture découpée en lanières. Il s'est encore agité durant trois bonnes heures, tremblant des pieds à la tête, poussant des sons rauques et très faibles, inintelligibles. Puis il s'est enfermé dans un silence tout aussi inquiétant, le corps ruisselant de sueur, le regard fixe, comme hébété.

Autre nuit, autre matin. Nous venons à peine de terminer notre «dîner» et nous en sommes encore au stade du léchage de doigts quand un gardien fait irruption dans la cellule, m'ordonne de rectifier ma tenue, car je dois le suivre dans les bureaux de l'administration.

— Demain vous partir pour le Canada, ajoute le sbire dans un mauvais français. Très bon pour vous. Ici, pas bon!

«Mon vieux, pensai-je *in petto*, je suis bien d'accord avec toi!» et je me hâte de lui emboîter le pas, complètement euphorique. Tandis que nous franchissons d'innombrables grilles et parcourons d'interminables corridors, j'ai l'impression de me déplacer sur un coussin d'air. Demain, je serai libre... libre... libre... Enfin un dernier escalier au sommet duquel s'étend une vaste galerie très fleurie, presque accueillante. De part et d'autre, des bureaux. Le contraste avec notre affreux bunker est si soudain, si violent que je reste sous le choc, fasciné par cette oasis de verdure, cette avalanche aveuglante, presque douloureuse de lumière et de couleurs.

— Par ici, Monsieur Durant...

Je suis introduit dans une petite pièce où un employé genre bureaucrate blasé me restitue, après vérification, tout ce qui m'avait été enlevé le jour de mon arrestation. Je ne pensais pas que je serais aussi ému en retrouvant mes objets personnels. Je les palpe, les palpe encore; c'est comme si je me retrouvais moi-même après tous ces jours, toutes ces semaines de cauchemar. Avant de partir, j'en profite pour laisser un peu d'argent au fonctionnaire à l'intention de Jimmy, afin qu'il puisse écrire à sa famille. Vaine démarche sans doute et je ne peux pas encore savoir à quel point.

Nouvelle halte dans un autre local où un préposé en uniforme m'ordonne de retracer mes effets vestimentaires parmi un fouillis indescriptible de valises, de sacs et de vêtements.

J'arrive quand même à récupérer le tout, y compris mon fameux costume Cardin incroyablement fripé. Quelques minutes plus tard, toujours flanqué de mon gardien, je réintègre le bunker.

Mes effets personnels sont déposés dans une armoire métallique et je rentre dans mon cachot non sans avoir reçu une nouvelle fois de mon garde l'assurance que je quitterai Israël demain matin, à bonne heure.

Je raconte aussitôt à mes compagnons les procédures de récupération auxquelles je viens de me livrer. Je note alors un changement d'attitude de leur part. Ils se montrent beaucoup moins sceptiques, me submergent de questions, presque aussi excités que moi. Je leur réponds machinalement, la tête soudain délicieusement vide; mes propres gestes me semblent irréels, d'ailleurs tout me paraît irréel. Bref, je continue à faire du vol plané dans les nuages.

La sourde crainte que tout cela ne soit qu'un songe disparaît presque totalement lorsque le gardien Aboutarif, qui vient de prendre son service de nuit, me confirme lui aussi que dès demain je dois quitter Ramla. Il a vu mon nom sur la liste des prochains expulsés.

Pour la première fois, après le repas du soir, je me permets de flâner - eh oui de flâner - dans la cour, sans m'abrutir à compter mes pas, humant l'air du soir comme un touriste en visite. Les Arables ont étendu sur le sol de vieilles couvertures et m'invitent à venir m'asseoir à leurs côtés. Kiousi, le digne patriarche au short délavé, est là également, grave et silencieux comme à son habitude. L'Anglais, plus volubile que de coutume, élabore sur son sujet favori, l'origine de l'homme et du soleil, tandis que Gordon, dans un autre coin, tente de convaincre son voisin de je ne sais trop quelle théorie. Les Arabes les écoutent, impassibles, les gratifiant parfois d'un sourire indulgent, un peu moqueur. Peu à peu, je me tais moi aussi, dérouté par ce calme étrange qui règne en moi et autour de moi en cette fin de journée, une sensation de paix intérieure à laquelle je n'étais plus habitué et qui soudain m'effraye, me rend mal à l'aise.

L'heure du couvre-feu est arrivée. Chacun a regagné ses pénates. Je décide de prendre une douche, question de me décrasser en vue du voyage. Manque de chance. L'eau se met à faire défaut au beau milieu de mes ablutions. Impossible donc de me rincer, ce qui me vaut d'hériter d'une chevelure raidie par le savon et d'un corps à moitié lavé. Tant pis. Je me console en pensant qu'il vaut mieux être un pouilleux libre qu'un bagnard qui sent la rose.

Chez mes compagnons, l'humeur est à la mélancolie. En fait, ils doivent ressentir la même impression de frustration qui m'a envahi lorsque Dumont nous a quittés. Et le plus terrible, c'est qu'ils ne peuvent rien y faire ni moi non plus. Brusquement, sans crier gare, ils m'inondent de noms, d'adresses et de recommandations, me confient des messages, m'implorent de les faire parvenir à leurs destinataires.

— O.K., les gars. O.K., je vous le promets, je ne vous oublierai pas.

Je ne sais combien de fois j'ai répété cette phrase de mon ton le plus déterminé et rassurant, mais toujours ils reviennent à la charge, soulignent à nouveau des noms, complètent fébrilement des adresses, tout énervés, raturent, recommencent en s'appliquant de peur que, là-bas, je ne sache plus déchiffrer leur écriture.

— Ça va, ça va, je vous dis, vous pouvez dormir sur vos deux oreilles, je n'ai qu'une parole.

Dans quelques minutes, ce sera l'extinction des lumières, mais ils ne regagnent toujours pas leurs lits. Ils continuent de m'observer, de m'envelopper du même regard fixe et avide. Et maintenant leur silence me semble encore plus effrayant.

C'était à prévoir. Je n'arrive pas à m'endormir. Je me retourne peut-être pour la centième fois quand une voix s'élève dans l'obscurité.

— Ne t'en fais pas, Jean-Louis, demain soir tu coucheras dans un vrai lit.

Je me redresse sur un coude, pour répondre à mon interlocuteur anonyme.

— Merci, camarade, de ton appui. Je sais le terrible effort que t'ont demandé ces mots.

Et c'est vrai que je suis tout ému. J'essuie une larme au coin de l'oeil et, quelques minutes plus tard, je m'endors enfin en reniflant.

21 août. Aux toutes premières lueurs de l'aube, bien avant que la voix monocorde grésille dans les haut-parleurs, je suis déjà éveillé. Mais je me garde de bouger. J'ai la frousse tout à coup, une frousse terrible que rien ne se passe, que je reste là, qu'on m'oublie, que tout ce que j'ai vécu hier ne soit qu'une sinistre et énorme farce. Enfin le bruit bien connu des pas de gardiens qui viennent ouvrir les cellules et compter les détenus. L'instant est décisif.

Les voilà qui arrivent devant notre grille. Je fais toujours mine de dormir uniquement pour me donner une contenance, en cas de désillusion. De toute façon, je pense bien que je suis incapable du moindre geste tellement je suis paralysé par la trouille.

La clé qui tourne dans la serrure, la grille qui s'ouvre en grinçant (Ben voyons, on ne rompt pas comme ça avec les traditions!), les douces voix suaves des gardes qui comptent leur troupeau... Et puis c'est le silence, un silence interminable. Toujours rien me concernant. Je sue de plus en plus, je commence carrément à être pris de panique. Soudain, la voix d'Aboutarif.

— *Canadi, Canadi*, réveillez-vous! Vite!

Pris au piège de mon rôle imbécile, je me force à jouer la comédie du monsieur surpris et dérangé dans son sommeil.

— Et alors, hurle le garde, complètement ahuri, vous ne voulez pas retourner au Canada?

En moins de dix secondes, j'ai sauté à terre et je me suis livré à une toilette des plus sommaires.

— Dépêchez-vous! s'impatiente Aboutarif, une jeep de la police vient vous prendre dans vingt minutes pour vous emmener à l'aéroport.

Un remue-ménage inaccoutumé dans notre cellule. Mes compagnons veulent absolument me dire adieu. Ils sont tous là, m'entourant timidement, presque dévotement, me regardant comme si j'étais un archange. Je les dévisage un à un: Hussein, Kiousi, l'Anglais, Gordon, Jimmy et les Arabes qui tiennent à me donner à tour de rôle l'accolade d'adieu. L'Anglais semble totalement effondré; Jimmy, pâle comme un mort, ne sait plus que dire tandis que Gordon, voulant sans doute masquer son émotion, tourne en rond, le visage décomposé.

Très digne, Kiousi s'approche, prend mes mains dans les siennes.

— Jean-Louis, puisque le Tout-Puissant a bien voulu te sortir d'ici, n'oublie pas ce que tu as vu et fais-le savoir au monde.

La voix impérative d'Aboutarif met fin à nos effusions.

— Allons, pressons, ça suffit comme ça!

Encore quelques poignées de main. Avant de franchir la grille, je me retourne une dernière fois pour graver dans ma mémoire tous ces visages d'hommes oubliés du monde, ces hommes qui furent mes frères, qui le demeureront toujours.

Première halte au bureau du greffe. Un énorme policier et un plus petit m'y attendent. Une vraie réplique de Laurel et Hardy. Le plus gros me prie d'enfiler mon costume au plus vite, tandis qu'il répand mes effets personnels sur une table. Obligé de m'habiller et de passer en même temps l'inspection de mes biens, je réussis finalement, l'impatience et l'énervement aidant, à mettre ma chemise à l'envers et à oublier d'enfiler mes chaussettes. L'erreur enfin réparée, le bon gros me restitue mon passeport, accompagné d'un billet d'avion, pendant que son frêle compère me fait don d'un sac en papier pour mon vieux linge. Il n'y a pas à dire, je suis soigné aux petits oignons.

Soudain, une voix résonne dans la cour promenade:

— Jean-Louis! Jean-Louis!

C'est Hussein qui tient à me faire cadeau d'un paquet de cigarettes arabes de marque Omar. Je suis autorisé à aller le chercher à toute vitesse. Lorsque je m'approche pour m'en saisir, les traits défaits, terriblement triste, Hussein me chuchote: «Jean-Louis, ne nous oublie pas...»

Tout ému, j'acquiesce d'un signe de tête et je rejoins mes deux policiers.

Je suis mes guides le long de corridors étroits où ne manquent ni barbelés ni portes blindées et subitement nous nous retrouvons à l'air libre, juste devant le bunker. La lumière est plus belle et plus étincelante que jamais à cette heure matinale et je reste un instant interdit, comme paralysé, fasciné par le ciel azuré dont j'avais oublié l'immensité, par les couleurs, les odeurs, les bruits qui me donnent le vertige et me font buter à chaque pas comme un homme ivre.

Pourtant un petit détail gâche mon euphorie: j'ai encore les menottes aux poignets. Désignant du regard ces objets humiliants, j'espère fléchir le gros officier afin qu'il m'en libère. Ma demande est refusée provisoirement. On me promet toutefois qu'on ne me laissera pas paraître enchaîné aux yeux du public. C'est toujours ça.

Nous prenons place dans la jeep et louvoyons à petite vitesse dans l'immense cour. Une dernière fois, je me retourne pour apercevoir notre bunker qui tout à coup paraît si minuscule, si innocent. Qui pourrait deviner les drames, les désespoirs et les tourments qu'endurent des dizaines et des dizaines d'hommes derrière ces murs anonymes?

L'imposante grille franchie, nous voici mêlés à la circulation locale, très dense à cette heure. Je regarde avidement autour de moi, comme je l'ai fait lors de mes précédents transferts avec cette différence qu'aujourd'hui j'appartiens moi aussi à ce monde des hommes libres qui s'agitent dans les rues, filent au travail ou jacassent aux terrasses des cafés. Derrière nous, la masse grise du pénitencier de Ramla s'est perdue dans le lointain.

Nous roulons à plus vive allure maintenant. Devant nous, une route droite séparée en deux par une bande jaune. Je remarque que nous nous trouvons sur la voie de gauche, celle qui d'après les panneaux indicateurs conduit à une autre localité où je sais que se trouve une prison importante, tandis que la voie de droite mène à l'aéroport. Et tout à coup je suis saisi d'un doute affreux qui me noue les entrailles: et si on avait décidé de me transférer de prison tout en me laissant croire que j'étais libéré? On ne sait jamais avec ces salauds-là. Je scrute, de plus en plus inquiet, la bifurcation qui se trouve maintenant à quelques mètres. Plus que cinq, quatre, trois... Hop, un virage vers la droite et nous voilà passés sur l'autre tronçon de route. Un panneau indique l'aéroport, à cinq kilomètres.

Je prends une bonne respiration et je m'affale sur mon siège, complètement épuisé. Le sosie d'Oliver Hardy a remarqué mon trouble et se met en devoir de m'expliquer qu'un camion qui nous frôlait à droite était seul fautif.

J'écoute à peine ses explications, je m'en fous, s'il savait comme je m'en fous à présent, je me fous de tout! Ça y est, je suis libre, libre! Tu ne comprends pas, mon gros? Libre!

Enfin un immense bâtiment aux vitres étincelantes: l'aéroport David-Ben-Gourion. La jeep cherche son chemin à travers la foule, s'immobilise un peu à l'écart. L'officier me prie de lui tendre les poignets. Il fait sauter mes menottes.

— Venez, Monsieur Durant, votre avion vous attend.

CHAPITRE 12

Je mets pied à terre et je suis mes deux escorteurs, tel Lazare ressuscité. Lentement, nous traversons le hall principal de l'aéroport pour aboutir au bureau de consigne de la compagnie *Elal* où mes pauvres bagages doivent être enregistrés. Mais la chose n'est pas aussi simple qu'on pourrait le croire. L'employé de la consigne me toise d'un regard désapprobateur. Il faut bien avouer qu'avec mes effets mal emballés j'ai plutôt l'air d'un émigré clandestin de début du siècle débarquant à New York du fond de cale d'un vieux raffiot graisseux. Court conciliabule du préposé avec Laurel et Hardy et il est voté à l'unanimité de dissimuler mes «guenilles» dans une boîte en carton de fabrication locale. Un véritable spectacle commence qui va durer une bonne dizaine de minutes.

Mi-exaspéré, mi-amusé, j'assiste donc pendant tout ce temps-là aux efforts désespérés du trio pour tenter de transformer ce carton plat en un volume de forme cubique.

Suant, pestant, les trois compères doivent toutefois renoncer à percer l'énigme et faire appel à un jeunot de la compagnie qui manifestement connaît la clé du problème. Hop, hop et encore hop, et le tour est joué. Ma malle improvisée est enfin enregistrée sous l'oeil haineux de l'employé de la consigne, qui a l'air de mal digérer son humiliation.

Toujours flanqué de mes deux comiques, j'emprunte l'escalier roulant qui nous déverse sur un immense palier barré par une ribambelle de contrôles douaniers. Fort heureusement, cette étape-là est vite franchie: le bon demi-kilo de documents, de paperasses et de laissez-passer que tiennent en main mes deux policiers suffit, semble-t-il, à calmer la méfiance congénitale de ces dames, préposées aux douanes israéliennes. Débarrassés de ces redoutables walkyries, nous débouchons dans une salle d'attente où je suis prié de patienter quelques minutes. Je passe ces courts instants de solitude à lorgner du côté du *snak-bar* où s'amoncellent des amas de croissants et autre gâteries dont j'avais fini par oublier l'existence, et d'où s'exhale un délicieux fumet de vrai café. J'en ai véritablement l'eau à la bouche et je me félicite de cet excellent réflexe. Après avoir supporté durant des jours et des jours les effluves pestilentiels d'un cabinet avec douche, c'est un vrai miracle que mon odorat n'ait pas été affecté.

La tentation devient de plus en plus forte et je crois bien que je vais dévaliser cette caverne d'Ali Baba quand mes deux convoyeurs réapparaissent et m'entraînent à leur suite sans que j'aie pu rassasier mon pauvre estomac. Escaliers, contrôles, encore des escaliers, des corridors; contrôle derechef et nous échouons de nouveau dans la jeep qui nous amène au bas de la passerelle du 707 immobile, terriblement impressionnant. Encore de mystérieux conciliabules et je suis autorisé à pénétrer à l'intérieur de l'avion. Ouf, ça y est!

Pas tout à fait. Une ou deux minutes plus tard, le frisson des grands jours me parcourt. Je suis instamment prié de regagner les bureaux de police de l'aéroport. On efface tout et on recommence. Je me retrouve avec mes deux sempiternels policiers, assis dans la jeep qui file pleins gaz vers le bureau du chef de police.

La gorge sèche et les fesses serrées, je suis introduit dans le bureau, invité à m'asseoir sous l'oeil visqueux dudit chef qui n'arrête pas de se frotter les mains l'une contre l'autre avec une satisfaction exaspérante. Les minutes s'écoulent, je sens la sueur froide qui me dégouline dans le cou. Je n'arrive même plus à penser, à remettre de l'ordre dans mes idées. Le gros policier s'approche, s'imagine peut-être qu'il va me réconforter en me confiant à l'oreille d'un ton sincèrement apitoyé: «Il y a un pépin assez grave. Je ne sais pas encore pourquoi, mais ils ne veulent pas vous laisser partir.»

Bref, de quoi me tranquilliser tout à fait! Je commence à me demander si mon coeur va survivre à ce suspens quand un groupe de civils fait son apparition, dans lequel je reconnais un agent de sécurité et aussi un membre de l'ambassade du Canada. Ce dernier s'avance et me salue courtoisement.

— Restez calme, Monsieur Durant, ce n'est rien, une simple question de formalités.

Et ces messieurs entament une discussion qui semble assez âpre, mais dont je suis totalement exclu. Je suis tout de même invité à présenter mon passeport qui est de nouveau examiné sous toutes les coutures. Encore quelques messes basses et je suis autorisé à quitter Israël... et au plus vite! C'est tout juste si, à présent, on ne me reproche pas d'avoir lambiné. Durant quelques secondes, je reste complètement interdit, abasourdi comme un idiot de village. Je commence carrément à perdre les pédales à ce petit jeu de «tu restes, tu restes pas, tu pars, tu reviens, tu repars»... Et l'avion! J'espère qu'il n'a pas décollé. Qui sait ce que ces tordus pourraient encore inventer pendant que j'attendrais le prochain! Mais mon officier, qui décidément m'a pris en affection, me rassure: à l'aide de son *talkie-walkie*, il a donné l'ordre de retarder le départ de dix minutes. Pour un peu je lui sauterais au cou, à ce bon gros.

Et voilà, cette fois ça y est. Les enfants, ça y est pour de bon! Je suis assis sur *mon* siège, je boucle *ma* ceinture de sécurité et notre long courrier s'ébranle vers la piste. Un instant plus tard, il s'arrache au sol et s'élance vers les espaces libres. Les yeux rivés au hublot, j'essaye d'ancrer à jamais dans ma mémoire cette terre blanchie par le soleil, bordée du liseré bleu de la Méditerranée qui peu à peu s'élargit pour devenir notre seul paysage. Et brusquement l'émotion m'étreint. J'imagine mes compagnons de détention cloîtrés et anonymes là, en bas, derrière nous, derrière les murailles de Ramla, allongés sur leurs couchettes puantes ou comptant leurs pas dans la petite cour lugubre.

L'avion a atteint son altitude de croisière et l'azur de la mer immense a disparu sous les nuages. Je m'appuye la tête sur le dossier de mon siège et je ferme les yeux. J'ai une boule dans la gorge qui ne veut pas partir.

Deux bonnes heures se sont écoulées depuis le décollage. Je reprends du poil de la bête, de nouveau le sentiment de ma liberté m'enivre; les moindres gestes, aussi insignifiants soient-ils m'enchantent. Par exemple, m'allumer seul mes cigarettes; assouvir mes besoins naturels dans un endroit digne de ce nom; prendre un repas copieux accompagné de bière ou de vin et par-dessus tout la certitude, lorsque je lève les yeux, de ne plus buter sur les murs bétonnés ou la grille d'acier qui à longueur de jour et de nuit ont été mon seul horizon. Je ne peux pas m'empêcher de rêver à Lise qui peut-être m'attendra à l'aéroport. Oui, j'en suis sûr, elle sera là, une âme charitable l'aura prévenue. Je veux être confiant et heureux tout à coup et je m'en réjouis, car j'ai toujours considéré que l'optimisme est un signe évident de santé. Il faut donc croire que je vais beaucoup mieux.

Seule ombre au tableau: la présence à mes côtés d'un compagnon taciturne et muet, mais qui n'en épie pas moins tous mes faits et gestes. Je suis même tenté de lui demander s'il craint que je détourne l'avion avec mon vieux peigne en plastique ou que je réussisse à impressionner l'équipage avec mes cinquante-neuf kilos. Bof, voilà que soudain je suis enclin à l'indulgence. Je conclus, magnanime, que le pauvre type fait son devoir, comme on dit, et je décide de l'ignorer purement et simplement.

À plusieurs reprises j'ai tenté de faire un petit somme, mais chaque fois le sommeil s'est refusé. Je suis trop nerveux sans doute et le pire c'est que ça ne va pas s'arranger, bien au contraire, au fur et à mesure que nous approcherons de notre lieu de destination. J'essaye de parcourir quelques magazines; les lignes dansent devant mes yeux et je dois renoncer, incapable de me concentrer. J'ai peine à suivre le rythme des voix, à saisir les phrases, les couleurs; les allées et venues des passagers m'étourdissent. Je me tâte machinalement le visage et je sens sous mes doigts les poils hirsutes de ma barbe qui se dressent, provocants. Je comprends tout à coup la raison de tous ces regards en biais que me lancent les autres voyageurs. Barbe hirsute, cheveux à moitié lavés et ébouriffés, teint blême sur veston noir, taille ultra-mince, j'ai vraiment l'air du terroriste mystérieux et affamé qui détient dans ses bagages une panoplie d'explosifs.

Tout honteux, je cours me réfugier dans les toilettes. Le miroir me renvoie le visage d'un autre homme que je ne connais pas, un double de Jean-Louis Durant vieilli de dix ans, ridé, aux cheveux poivre et sel, aux traits émaciés, au cou de poulet maigre à faire peur. Ce n'est pas le miroir qui est déformant, c'est moi qui suis devenu un vieillard.

Je décide de prendre mon courage à deux mains et je supplie une hôtesse de me dénicher un rasoir. Poussée par la compassion ou l'effroi - je ne le saurais jamais - elle s'exécute avec rapidité. Dix minutes plus tard, je regagne mon siège la tête haute, délesté de mes poils tenaces, les cheveux collés au crâne par des applications répétées d'eau, bref presque présentable.

Après une courte escale en Suisse durant laquelle je suis prié de rester sagement à mon siège, nouveau décollage et en route pour Montréal. Sept heures de voyage encore, sept heures durant lesquelles mon impatience et ma nervosité ne font qu'augmenter. Lorsque nous commençons à survoler les provinces maritimes, je ne tiens plus en place, j'ai la bougeotte et demeurer assis bien sagement est devenu un véritable supplice. L'avion amorce sa descente.

L'immense Canada s'étale tel un paisible géant sous nos derrières compassés par tant d'heures de vol. Il faudrait des yeux d'aigle pour placer un nom sur les plus grosses agglomérations que nous survolons, mais tout cela sent bien le Canada et plus particulièrement le Québec. Le paysage se révèle de plus en plus net et précis à travers la dernière couche de nuages blancs et effilochés. L'ordre est donné d'attacher nos ceintures et soudain tout va très vite, presque trop vite. Avec la délicatesse d'une mouette, notre gros engin se pose sur la piste, s'immobilise le nez face aux vitres bleutées de l'aéroport de Mirabel.

Enfin le premier pas sur le sol canadien, puis je dois me placer sagement dans la file d'attente, au milieu du grand hall, pour passer le contrôle de douane et de police. Je scrute éperdument la foule massée derrière une longue galerie vitrée. Mon coeur saute dans ma poitrine. Je viens de repérer une petite bonne femme brune qui agite frénétiquement les bras dans ma direction. Lise, c'est Lise! Pour un peu, je courrais vers elle à travers la cohue, sans plus me soucier des douaniers et des policiers, mais je dois ronger mon frein. J'arrive enfin à récupérer ma fameuse boîte en carton. Suit un entretien avec un officier des services de sécurité qui me retient une bonne demi-heure. Libéré de ces formalités, je me mets fiévreusement à la recherche de mon amie. À peine ai-je franchi la porte de sortie qu'elle m'atterrit littéralement dans les bras.

— Mon Dieu, Jean-Louis, qu'est-ce qu'ils ont fait de toi? Comme tu as changé!

Je l'écoute à peine, je la couvre de baisers. Sa grossesse se manifeste maintenant par un embompoint plus marqué. Bref, tout le contraire de moi. Tout à coup, elle pleure de joie, puis nous rions nerveusement sans pouvoir nous arrêter et maintenant c'est moi qui me mets à pleurnicher, incapable de me contrôler. Doucement, Lise me conduit vers le bar où mon fils aîné m'attend avec sa femme et deux de mes petits-enfants.

Ça va mieux. Je me sens un peu plus apaisé, bien que j'aie toujours la sensation de marcher, de vivre et de parler comme dans un rêve. Parfois, au beau milieu de ma joie, les souvenirs reviennent, des visages défilent, ceux du gardien Moshé, du pauvre Joseph, de tous mes compagnons de Ramla, mais je ne cherche pas à les chasser, je ne leur en veux pas de me poursuivre jusqu'ici. Je sais qu'ils sont là en moi pour toujours, qu'ils font désormais partie de moi, à jamais.

— Tu viens, papa?

Mon fils nous entraîne vers son auto et, une heure plus tard, nous arrivons dans son appartement montréalais où une chambre nous est réservée, à Lise et à moi. Un repas véritablement pantagruélique nous attend au cours duquel je dois répondre à un flot de questions. Les bons et les mauvais souvenirs sont évoqués. Il y a tant de choses que j'aimerais leur dire aussi mais que je n'arrive pas à dire peut-être parce que je ne parviens pas encore à me les formuler à moi-même. Oui, c'est vrai, Lise a raison, j'ai changé. Quoi que je pense, quoi que je veuille, cette aventure a fait de moi un autre homme, un homme condamné à ne jamais oublier.

En premier lieu, je tiens à remercier du fond du coeur mon avocat, Maître Raziuk et surtout les autorités canadiennes en poste en Israël ainsi que le ministère des Affaires extérieures d'Ottawa qui, par simple humanité et avec le plus complet désintéressement, ont grandement contribué à me rendre la liberté.

Enfin, en guise de conclusion, je me permettrai d'ajouter ces quelques lignes: jusqu'au jour de mon arrestation, j'étais semblable à des millions de citoyens du monde qui n'ont aucun grief ou préjugé contre l'État hébreu. Au contraire, j'éprouvais une grande compassion pour ce peuple qui fut tant persécuté au cours de son histoire et plus particulièrement au cours de la Deuxième Guerre mondiale. Aussi, en toute logique, j'étais loin de me douter que ce petit pays qui m'avait fasciné par la beauté de ses sites, son infatigable soleil et ses couleurs vives, pourrait devenir le décor lugubre d'un interminable cauchemar.

En écrivant ce témoignage qui est le reflet de la stricte vérité, je n'ai nullement voulu m'ériger en juge suprême ni me lancer dans un réquisitoire violent et partisan contre le sionisme. Mon seul but a été de mettre en lumière certains agissements qui, s'ils n'étaient pas révélés au grand jour, pourraient s'aggraver, se multiplier et marquer ainsi d'une nouvelle tache sanglante l'histoire de l'humanité déjà pas très reluisante.

Mais les faits sont là. Lors des guerres incessantes qui ont jalonné l'histoire d'Israël depuis sa fondation, et plus particulièrement au cours de l'invasion du Liban en 1982, l'armée israélienne, sous l'égide de ses dirigeants sionistes, s'est malheureusement mérité les qualificatifs de barbare et de sanguinaire. Le massacre survenu dans certains camps libanais placés sous le contrôle des Israéliens et accompli avec leur bénédiction n'est que le prolongement des méthodes carcérales dignes du moyen-âge dont je fus le témoin et la victime.

Je souhaite, en toute humilité, que mon récit puisse ouvrir les yeux de tout être qui, quelles que soient sa race, sa religion ou ses opinions politiques, se dit épris d'un minimum de justice.

Dans la même collection:

Mona *(Ginette Bureau)*
On verra bien *(Roland Roux)*
J'ai mal à son coeur *(Marie Juneau)*
Cher Conrad *(Marcel Cabay)*
De père inconnu *(M. F. Guillemette)*
La materniture à bras ouverts *(Louise Davis)*
Le temps des souvenirs *(Trude Sekely)*
Sans bon sang *(Jean-Jacques Bégin)*
Terry Fox *(Leslie Scrivener)*
Fille à papa *(Charlotte Vale Allen)*
Handicapée, moi? *(Pauline Goëdike)*
Alain, transexuelle *(Inge Stephens)*
Liberté Chéries *(Claude Briac)*
La Chanson c'est ma vie *(Michel Louvain)*
Mozart *(collaboration)*
Berlioz *(François et Alain Boyer)*
Pavarotti *(W. Wright)*
Une fille comme moi *(Sylvie B.)*
Isola *(Jean Dumas)*
Dis-moi à qui je ressemble *(Ronald Fertier)*
Service Royal *(Stephen Barry)*
Le voile de la honte *(Louise Davis)*
Marie-Joseph Angélique, incendiaire *(Marcel Cabay)*
Soixante jours en enfer *(Jean-Louis Durant)*
Une femme singulière *(Cécile Hamel)*